¿Cómo ser profesor/a y querer seguir siéndolo?

Encina Alonso

edelsa
GRUPO DIDASCALIA, S.A.
Plaza Ciudad de Salta, 3 - 28043 MADRID - (ESPAÑA)
TEL.: (34) 914.165.511 - FAX: (34) 914.165.411

Créditos

Pág.	112	"Courtney Love, terror de las suegras. Escándalo", texto de Silvia Grijalba (revista *Elle*).
Pág.	117	"Sentarse con salud", texto de Marimar Jiménez (revista *El País* semanal).
Pág.	120	"Diez años que cambiaron a España", texto de José Oneto (diario *Cambio 16*).
Pág.	121	Anuncio publicitario Pikolín.
Pág.	125	"El principio masculino y femenino" (revista *Integral*).
Pág.	147	"Alf: el terror de los laboratorios" (revista *Muy interesante*).

Ilustraciones: Manuel Prados de la Plaza.
Ilustraciones de págs. 8, 18, 48, 72, 92, 96 y 190: Neus Carbó.
Diseño, Maquetación, Fotocomposición y Fotomecánica:
Departamento de Imagen Edelsa.
Filmación: Alef de Bronce.
Impresión: Gráficas Rogar.

Primera edición: 1994
Primera reimpresión: 1995
Segunda reimpresión: 1997
Tercera reimpresión: 1998
Cuarta reimpresión: 1999
Quinta reimpresión: 2000
Sexta reimpresón: 2002
Séptima reimpresión: 2003
Octava reimpresión: 2004
Novena reimpresión: 2005
Décima reimpresión: 2006

ISBN: 84-7711-071-9
Depósito Legal: M-37690-2006
Impreso en España.
Printed in Spain.

ÍNDICE

SECCIÓN A.   **Pág.**

-1. El primer día de clase.   7

-2. Uso del aula.   17

-3. Uso del lenguaje.   43

SECCIÓN B.

-4. Enseñar vocabulario.   57

-5. Enseñar exponentes funcionales.   69

-6. Enseñar gramática.   79

-7. Enseñar pronunciación.   97

SECCIÓN C.

-8. Las destrezas interpretativas.   107

-9. Las destrezas expresivas.   129

-Apéndice de los capítulos 8 y 9:
La integración de las destrezas
lingüísticas.   145

SECCIÓN D.

-10. La corrección.   151

-11. La programación y planificación
de clases.   163

-12. Continuar el aprendizaje fuera
del aula.   181

A lo largo del libro hay una serie de tareas que esperamos que vayas realizando mientras lo lees. Ahí va la primera: *¿Por qué crees que hemos agrupado los capítulos en estas cuatro secciones?*

Queridos lectores:

Ante todo saludaros y deciros que me alegro de que estéis con nosotros. Me parece que he de empezar por los motivos que me llevaron a escribir este libro: he estado varios años dedicada a la enseñanza del español como lengua extranjera y posteriormente a la formación de profesores en una escuela de idiomas, pionera de cursos de formación de profesores, llamada International House. A lo largo de estos años, la demanda para que escribiera este libro era cada vez mayor. Los participantes que venían a nuestros cursos en Barcelona, Madrid o Palma de Mallorca nos pedían un libro de este tipo. Hay muchos profesores que trabajan aislados y muchos que quieren, pero no pueden, asistir a cursos de formación. Con este libro podríamos llegar a muchas más personas.

Por otro lado, yo venía del mundo de la enseñanza del inglés en el que había sido profesora y conocía el material existente en el mercado de inglés. Me sentía en la necesidad, casi patriótica, de publicar un libro en español de contenidos y objetivos similares.

Muy largo ha sido el camino desde la concepción del libro y muchos los obstáculos con los que me he encontrado. En estos años también son muchos los libros y revistas que se han publicado; muchos los cursos, jornadas y seminarios que han tenido lugar. A gran velocidad estamos recuperando los años perdidos y son cada día más y mejor preparadas las personas que se dedican a la enseñanza y difusión del español como lengua extranjera.

Este libro va dirigido tanto a las personas que quieren encaminarse hacia la enseñanza y que se sienten perdidas porque no saben por dónde empezar, como a los docentes con experiencia y conocimientos que necesitan o desean una reflexión.

Hemos intentado en todo momento no pecar de dogmáticos, es decir, no encerrarnos en un solo camino creyendo que es el único y verdadero, sino dar siempre un gran número de opciones. NUESTRO LIBRO NO ES UN MÉTODO. Muchas veces me preguntan: ¿cuál es tu método? o ¿cómo se aprende mejor y más rápido español? Nuestra opinión es que hay tantos métodos como profesores en el mundo y que lo que tenemos que hacer es encontrar nuestro propio método y adaptarlo al grupo con el que estamos trabajando. Y eso es precisamente lo mejor de nuestra profesión: que no hay una solución única, que las cosas nunca salen como las preparamos, que dos clases nunca son iguales y que los alumnos no son máquinas que absorben, sino seres vivos cargados de espontaneidad y que cambian nuestros planes con sus preguntas y aportaciones. De todas formas, es inevitable que nuestras opiniones queden plasmadas en el libro al igual que en nuestras clases y creemos que sería poco natural no hacerlo así.

Ya desde el título encontraréis la referencia al **profesor/a** que continúa siempre a lo largo de todo el libro. Esto se debe a que hemos querido resaltar así la gran presencia de mujeres que se dedican a la profesión de docente y a esta materia en concreto (al menos es mi experiencia en los países en que he trabajado). Para aligerar el lenguaje no hemos expresado el género alternativo del artículo ni de los elementos que conciertan con **profesor/a** en cada contexto.

Otro dilema que tuvimos en la redacción del libro fue si escribir "español como segunda lengua" o "español como lengua extranjera". Al final optamos por alternar las dos, ya que pensamos que nuestros lectores se podían encontrar en ambas circunstancias.

Es muy importante para nosotros que el libro sea utilizado tal y como fue concebido. Esperamos que no se lea de un tirón y se abandone en las estanterías del estudio o de la sala de profesores. Algunas sugerencias para su manejo son las siguientes:

a) No tiene por qué leerse en el mismo orden en que está impreso. Los capítulos pueden leerse salteados.

b) Deben leerse primero las preguntas que anteceden a cada capítulo y reflexionar sobre ellas.

c) Es ideal para ser trabajado en grupo o al menos por dos personas juntas si lo primero no es posible.

d) Las tareas deben realizarse a medida que van apareciendo.

e) Puede usarse como un libro de referencia que está siempre con nosotros; como utilizamos una gramática, un diccionario..., un libro al que acudimos cuando nos faltan ideas, cuando queremos hacer una comprobación, o si necesitamos reflexionar o analizar.

El libro está dividido en cuatro secciones. Los capítulos de cada sección están precedidos por una serie de preguntas para reflexionar sobre el tema antes de emprender la lectura. A lo largo del capítulo hay más **preguntas de reflexión (1)** y unas **tareas (2)** para que se vayan realizando a medida que aparecen. Hemos querido atender a todos los principios básicos y cubrir todos los aspectos que atañen a la enseñanza y el aprendizaje del español como segunda lengua. Casi todos los capítulos comienzan con una introducción teórica para pasar luego a una serie de ideas sobre tareas y actividades aplicables en el aula.

Somos conscientes de que nuestro libro como toda obra humana es perfectible. No queremos pedir perdón. Como decimos a lo largo del libro, consideramos que las opiniones diversas, las discrepancias y las sugerencias son muy positivas y tenemos que aceptarlas y sacar el mejor provecho de ellas. Esperamos que incluso nuestros posibles errores os ayuden.

Y nada más, que esperamos vuestras cartas, que nos deis ideas y sugerencias, y que ¡adelante!, que es muy bonito lo que hacemos, que tenemos mucha suerte y que de lo que se trata es de estar siempre abiertos, siempre probando cosas nuevas, con el propósito de ayudar a nuestros alumnos y divertirnos lo más posible.

Gracias por comprar el libro y creer en nosotros. Esperamos poder ayudaros. Hasta el próximo libro. Un saludo muy cordial,

Encina Alonso.

2 *Lo señala en el margen izquierdo; van en letra cursiva.*

1 **Lo señala en el margen derecho; van en letra recta.**

MUCHAS GRACIAS

Cuando decidí escribir el libro, enseguida me di cuenta de que no podía hacerlo sola. Necesitaba trabajar en equipo como lo había hecho siempre. Mis colaboradores han sido:

JONATHAN MARKS: un caballero inglés con gran interés por España y la lengua española. Tiene una larga experiencia como formador de profesores por toda Europa y es autor de múltiples publicaciones y libros, entre ellos uno sobre pronunciación. Me ayudó en la concepción del libro y posteriormente ha realizado una gran labor de asesoramiento.

BEGOÑA MONTMANY: licenciada en Filología Hispánica y actualmente profesora de español en International House, Barcelona.

NEUS CARBÓ: profesora de adultos con experiencia en lengua y literatura castellana en Barcelona. Actualmente profesora de español en la Universidad Popular de Munich.

BEGOÑA y NEUS han sido las personas que han corregido la redacción del libro, ya que me temo que sigo siendo más profesora que escritora. Y, además, gracias a los monigotes NARIZGRANDE por haberse escapado de la mano de NEUS para infiltrarse en mi libro.

Llevo muchos años en la enseñanza y son muchas las personas que me han ayudado. Siempre asusta dar nombres en el momento de los agradecimientos por si se olvida alguno importante. Quisiera mencionar, sin embargo, a unas cuantas personas que han sido claves en este proyecto:

ANTHONY NICHOLSON, por ser la primera persona que creyó en mí y en mi capacidad para escribir el libro, animándome y mostrándome el camino para empezar.

A todos los compañeros de International House, especialmente al departamento de español en Barcelona y a los departamentos de formación en Barcelona y Hastings, Inglaterra.

No quiero olvidar a mis compañeras de departamento: ANA ALOMÁ y NURIA SÁNCHEZ que con tan buen ánimo han puesto en práctica las tareas propuestas en el libro y que han pasado horas interminables discutiendo conmigo los temas de varios capítulos. Asimismo, tengo que dar las gracias a NURIA SÁNCHEZ y DAVID CLARK por su colaboración en el capítulo de la integración de las habilidades lingüísticas.

En Alemania, tengo que agradecer a HELGA BAUER su ayuda con el ordenador, siempre que he tenido dificultades tratando de luchar contra la técnica alemana.

A ERICH, por darme fuerza cuando éstas me empezaban a faltar y apoyarme en todo lo necesario para poder terminar el libro.

Y por último a todos los profesores y amigos de España, Inglaterra y Alemania que me han animado, probado las actividades y me han dado sugerencias y consejos.

Y a todos los alumnos que han sufrido nuestros experimentos y que son la razón de la existencia de este libro.

GRACIAS.

CAPÍTULO 1.

EL COMIENZO DE UN CAMINO: PRIMER DÍA DE CLASE

1. ¿Qué puede dificultar el aprendizaje de una lengua?

2. Ante el aprendizaje de una segunda lengua, ¿por qué los alumnos son tan diferentes?

3. Cuando los alumnos empiezan a aprender español, por ejemplo, ¿parten de cero o aportan una serie de conocimientos y estrategias que no tenían cuando aprendieron su primera lengua?

4. ¿Qué esperan los alumnos del profesor/a?

5. ¿Qué razones hay para aprender una lengua?

6. ¿Qué es la motivación?

7. ¿Qué puede hacer el profesor/a para conocer a sus alumnos y para que se conozcan entre ellos?

8. ¿Cómo puede ayudar el profesor/a a que sus alumnos conozcan su mejor forma de aprendizaje?

9. ¿Cómo puede compartir el profesor/a responsabilidades con sus alumnos?

El aprendizaje de una lengua -y ahora no nos referimos a la materna- como el de cualquier otra materia, es un proceso que tiene lugar de forma individual y, por lo tanto, diferente en cada persona. Sin embargo, con la excepción de las llamadas clases particulares o los muy poco frecuentes casos de autodidactas, el aprendizaje de un idioma suele realizarse en grupo y en clases dirigidas por un profesor/a.

EL PRIMER DÍA DE CLASE parece que es el principio, pero si nos detenemos a pensar, no lo es: ¿qué es lo que traen los alumnos y los profesores ese día? ¿Con qué vamos a trabajar y de dónde partimos?

1. UN MODO DE APRENDIZAJE INDIVIDUAL

Es posible que si hay veinte individuos haya veinte modos diferentes de aprendizaje y tan sólo un profesor/a con un único sistema de enseñanza. Si esto fuera así, podría ocurrir que las personas que coincidan en su forma de aprender con la de enseñar del profesor/a saquen más provecho de la clase que el resto, porque ...

... algunas personas prefieren aprender una lengua hablando desde el primer día, mientras que otras prefieren aprender unas reglas y un vocabulario antes de hablar.
... otras necesitan verlo todo por escrito primero,
... hay quienes tienen más recursos auditivos y
... muchas necesitan un apoyo constante de su lengua materna para asimilar otra.

¿Qué hacemos los profesores ante esta diversidad? Lo primero que debemos hacer es averiguar juntos su forma de aprendizaje individual por medio de pruebas iniciales, realizando actividades y hablando con ellos. Las preguntas incluidas en estas pruebas serían del tipo: *¿Prefieres, al aprender una nueva palabra, verla primero por escrito?¿por qué?¿Qué haces con los deberes una vez que se te entregan corregidos?¿Qué haces para aprender la forma irregular de un verbo?¿Cómo clasificas el vocabulario en tu cuaderno?...*

Si el grupo coincide en alguno de los puntos, lo incluiremos en nuestro sistema de trabajo. Si, por el contrario, el grupo manifiesta tendencias diferentes, deberemos combinarlas para no favorecer a ningún alumno en particular. Por ejemplo, puede haber alumnos que aprendan mejor de una forma deductiva, que siempre necesiten unas reglas, a ser posible, gramaticales; mientras que otros, en el mismo grupo, aprendan mejor de una forma inductiva y quieran prescindir de las reglas gramaticales que no les ayudan ni en sus propias lenguas. Deberemos, entonces, combinar las dos y si hacemos una presentación inductiva terminar con un apoyo gramatical o viceversa.

2. ANTERIORES EXPERIENCIAS EN APRENDIZAJE DEL ESPAÑOL O DE OTRA LENGUA

Evidentemente sus experiencias previas pueden haber sido positivas o negativas. En el primer caso, el alumno vendrá a nuestras clases esperando el mismo método, el mismo tipo de profesor/a y de clase. Si resulta muy diferente se sorprenderá y puede que incluso esté receloso porque no coincide con los esquemas que él tenía de una clase de idiomas. Será en el momento en que empiece a ver un resultado positivo, al ver que sí que está aprendiendo, cuando esté más receptivo y acepte de mejor grado los cambios que el grupo va experimentando.

¿Qué crees que esperan algunos de los alumnos que van a tus clases? Escribe cinco frases.

En el caso de que el alumno haya tenido experiencias anteriores negativas puede ocurrir que sea consciente de que algo ajeno a él falló (un mal libro de texto, mal profesorado...) y entonces podemos hablar con él para comentar y analizar dicha experiencia; o también puede suceder que el alumno crea que la culpa fue suya: *A mí se me dan muy mal los idiomas. No tengo facilidad para el español,* son algunos de los comentarios que oímos de nuestros alumnos. De nuevo analizaremos juntos su experiencia anterior y veremos dónde está el problema. Intentaremos conseguir que con su progreso gane poco a poco confianza en sí mismo y se convenza, de este modo, de que sí que puede aprender español.

3. EXPECTATIVAS

Al hablar de expectativas nos referimos ahora a lo que los alumnos esperan de un curso cuando se matriculan en él. Veamos algunos comentarios hechos por alumnos antes de empezar:

a) Pago, luego aprendo.
b) ¿Cuánto tiempo se tarda en aprender español?
c) Los precios son muy altos, por lo que deben enseñar muy bien, quizás en seis meses pueda aprender.
d) Espero que no me vuelvan a repetir el subjuntivo, la teoría ya me la sé.
e) No quiero clases de conversación, lo que quiero es que me ayuden con la gramática.
f) Espero que por fin me aclaren los pasados.
g) Yo quiero hablar, no ver rollos de gramática.

Para saber cuáles son sus expectativas podemos, al empezar el curso, hablar con ellos y preguntarles qué esperan de las clases y explicarles qué esperamos nosotros. Después analizaremos juntos si nuestras expectativas son realistas, no demasiado ambiciosas y si se pueden cumplir. En el caso de que no coincidamos, podemos negociar con ellos. Lo importante es que todos sepamos de dónde partimos y a dónde vamos.

En caso de que los alumnos sean principiantes absolutos, no vemos ningún inconveniente en que estas conversaciones se mantengan en su lengua materna o en una conocida por todos, en caso de grupos multilingües.

 ¿Qué esperas tú de este libro? Escríbelo ahora en una hoja de papel antes de continuar leyendo. Guárdalo entre las páginas del libro y luego vuelve a leerlo cuando des la vuelta a la última página.

4. UNA RAZÓN PARA APRENDER
Escuchamos, por ejemplo, estas diez razones:

a) Mi hija se ha casado con un español y ahora no puedo entender a mis nietos.
b) El año que viene quiero ir a vivir a Nicaragua y necesito por lo menos poder comunicarme.
c) Han trasladado a mi marido aquí para, al menos, tres años. No tengo más remedio que aprender español.
d) Me encanta la cultura española y un día quiero ser capaz de leer a Lorca o "El Quijote".
e) Hace un año que estoy en España; pensaba que podría aprender español por mi cuenta, pero ahora veo que necesito clases.
f) Es una de las asignaturas de mis estudios.
g) Tengo que hacer un examen en junio.
h) Hablo francés e italiano. Me encantan los idiomas. Quiero hacer de ellos mi carrera. Considero que el español es una lengua no demasiado difícil para mí y muy útil.
i) En mi trabajo hacemos muchos negocios con España. Tengo que escribir muchas cartas y contestar llamadas de teléfono.
j) Nos gusta España. Hace dos años que tenemos una casa en la Costa Brava.

Queremos mezclarnos con la gente, no vivir en nuestro gueto, por eso necesitamos clases.

¿Puedes pensar tú mismo en más razones?
¿Has aprendido algún idioma? ¿Por qué lo hiciste?

Las razones que tienen para aprender condicionarán la programación y los objetivos del curso.

Imagínate a estas diez personas en un grupo. ¿Qué crees que necesita cada una más urgentemente?

En el primer caso, por ejemplo, el alumno necesita desarrollar la comprensión y la expresión oral en primer término. Aprender vocabulario relativo a juegos, comida, animales; en definitiva, el vocabulario más utilizado por los niños. En segundo término, le puede interesar aprender a escribir cartas para mantener una correspondencia con sus nietos.

¿Puedes hacer lo mismo con algunos de los ejemplos restantes?

5. LA MOTIVACIÓN

Es una de las palabras más manidas en los últimos años en el contexto escolar: *¡Cómo van a aprender si no están motivados! ¡El profesor/a es tan aburrido que no les motiva! ¡Estos temas no sirven para motivar a los alumnos!*

Si nos referimos a las diez personas anteriores, veremos que tienen distintas razones para aprender y también distintos tipos de motivación. El profesor/a puede motivar o desmotivar a los alumnos. Mucho depende de si les proporciona lo que necesitan, si escoge los temas y actividades apropiados para ellos y de si los alumnos ven el progreso en su aprendizaje. Nosotros creemos, no obstante, que la motivación en el aula es tarea de todos. Si somos un grupo de trabajo, debemos repartir responsabilidades. Los alumnos deben hacer sugerencias, proponer también temas y actividades y, si las cosas van mal, intentar solucionarlas entre todos.

Nuestros alumnos pueden venir motivados o no; los primeros días nos encargaremos, entre todos, de incrementar o crear esa motivación. Existe el peligro de que, pasadas las primeras clases, nos empecemos a relajar y olvidemos que la motivación se crea de una manera continuada y momento a momento. ¿Cómo se crea y se mantiene esa motivación? Hay que:

- Averiguar qué quieren nuestros alumnos y cómo esperan conseguirlo.
- Buscar temas que les interesen.
- Adaptar nuestra metodología a sus modos de aprendizaje.
- Explicar el objetivo de las actividades.
- Comentar el progreso para que ellos lo vean.

- Animarlos en los momentos en que el progreso no es tan evidente, y reconocerlo cuando sí lo es.
- Crear un ambiente en el que los errores sean positivos, ya que forman parte del proceso de aprendizaje.
- Variar las actividades, temas y contenidos.
- Cambiar el foco de atención: Pasar del lenguaje como fin en sí mismo al lenguaje como medio para un juego, una actividad comunicativa, etc.
- Evitar expresiones del tipo: *Ahora vamos a ver algo que es muy difícil. ¿Cómo puede ser que no lo entendáis si ya lo he explicado tres o cuatro veces? No importa que no terminéis el juego, sólo era para practicar. Es igual. Está mal. Todavía tienes muchos fallos. ¿Cómo puede ser que no oigas la diferencia entre /l/ y /r/? El problema es que no sabéis reconocer un complemento directo ni en vuestra lengua.*

6. CARACTERÍSTICAS PERSONALES

Aunque haya un solo grupo de trabajo, las personalidades de los alumnos y del profesor/a son diferentes. En el aula las cuestiones más relevantes en cuanto a las características personales de cada individuo son:

- ¿Está acostumbrado a trabajar en grupo?
- En un grupo ¿destaca o se retrae?
- ¿Es una persona habladora o callada?
- ¿Es una persona participativa o más bien pasiva?
- En cuanto al aprendizaje, ¿es una persona dependiente o prefiere arriesgarse y caminar solo?

De las siguientes cualidades, **¿cuáles te parecen mejores para un alumno?**:

- Capacidad de análisis,
- capacidad de síntesis,
- buena memoria,
- buen oído,
- confianza en sí mismo,
- capacidad organizativa,
- constancia,
- decisión,
- estar acostumbrado a hablar en público,
- ser comunicativo,
- ser competitivo.

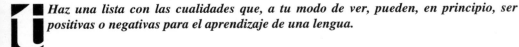

Haz una lista con las cualidades que, a tu modo de ver, pueden, en principio, ser positivas o negativas para el aprendizaje de una lengua.

Ejemplo:

Positivas	Negativas
buena memoria	*mala memoria*
buen oído	*dificultad en la audición*
paciencia	*impaciencia*

¿Estás de acuerdo con éstas? Continúa añadiendo.

Si tienes un curso ahora, ¿puedes describir la personalidad de tus alumnos usando estos términos? ¿Qué otros términos necesitas para describirlos?

Conocer estos datos de la personalidad de los alumnos puede ayudarnos a cohesionar el grupo. Tendremos en cuenta sus personalidades a la hora de:

1. Escoger actividades en las que los alumnos se sientan cómodos. Por ejemplo:

- Si son tímidos, haremos actividades en las que no se personalice demasiado. Así, evitaremos algo como: *¿Quieres ponerte de pie para que te escuchen bien todos y leer en alto la carta que has redactado?*
- Si son muy activos, no los tendremos mucho rato sentados escuchando.

2. Formar grupos y parejas. Tendremos en cuenta las afinidades o las diferentes personalidades según los intereses de cada momento.

3. Pedir la participación de nuestros alumnos.

Si hay alumnos que participan demasiado en detrimento de los demás, utilizaremos alguna técnica o juego de manera que todos tengan oportunidad de hablar; por ejemplo: repartiendo tarjetas con turnos diferentes u otorgando a todos los alumnos un minuto exacto de intervención, etc.

Si tenemos alumnos poco participativos evitaremos frases del tipo: *James, contesta tú, que hace diez minutos que estás callado.* Utilizaremos en su lugar: *¿Alguien quiere contestar a esta pregunta? ¿Quieres hacerlo tú, James?*

4. Repasar para ayudar a los alumnos menos organizados y dar también ideas para clasificar sus notas.

Al igual que estudiamos la personalidad de los alumnos, debemos estudiar también la nuestra para adaptarnos al grupo y adaptar las actividades a nuestra forma de ser. Si no nos sentimos cómodos haciendo mímica, prescindiremos de ella; si tenemos tendencia a ser hiperactivos, nos sentaremos para tranquilizarnos.

¿Qué podemos hacer nosotros como profesores para llegar a conocer todos estos datos que necesitamos lo antes posible?

Como hemos ido viendo a lo largo del capítulo, hay dos actitudes que aparecen constantemente: un primer paso de reflexión, el no aceptar las cosas sin más, y un segundo paso de compartir nuestras inquietudes con nuestros alumnos. Estas posturas podríamos extenderlas para conocer el continuo progreso de la clase y para saber cómo se sienten a lo largo del curso.

Debemos hablar con ellos planteando de una forma adecuada los objetivos comunes. De no hacerlo así, podemos causar un caos o simplemente no obtener ninguna respuesta que ayude. Preguntas del tipo: *¿Qué os gustaría aprender en este curso?* o *¿Qué temas queréis tratar?* pueden ser muy peligrosas y conducirnos a una frustración por nuestra parte, si no obtenemos respuestas sustanciosas, y a una frustración en los alumnos, si no hacemos lo que ellos han sugerido.

Creemos también que es importante que este tipo de conversaciones se tengan cuando el curso está ya empezado, después de haber trabajado juntos unos días. Los alumnos no son especialistas en metodología ni pedagogía, por lo que no podemos entrar en debates que ellos no puedan seguir. Quizás es mejor comentar la técnica o actividad una vez que ya se haya realizado, experimentado. De esta manera, será más fácil ver los objetivos que hay detrás de todo ello. Si hacemos un juego, por ejemplo, para repasar nacionalidades, será mejor que después de realizarlo preguntemos a nuestros alumnos qué creen que han practicado y por qué lo hemos hecho así. De este modo, al reflexionar, serán conscientes (si no lo eran ya antes) del objetivo que tenía el juego.

¿Qué pueden hacer los alumnos para ayudar al mejor desarrollo del curso? Después de haber participado en nuestras discusiones, al llegar a las conclusiones, como éstas son de todos, deben empezar a tomar responsabilidades. Tenemos que asegurarnos de que las distribuimos:

- Haciéndolos partícipes de las decisiones.
Por ejemplo: *¿Queréis hacer este ejercicio oral o escrito? ¿Queréis volver a escuchar la cinta? Decidme cuándo queréis que haga una pausa en el vídeo. Cuando estéis cansados decídmelo y hacemos un descanso.* Etc.

- Realizando una revisión conjunta del proceso.
Por ejemplo, al final de la semana decimos: *¿Qué tal ha ido?* y ellos pueden decir lo que piensan.
Es la ocasión para hacer sugerencias y explicar lo que les ha gustado y lo que no; o lo que les gustaría que cambiara en un futuro.

- Haciéndolos responsables de la decoración de la clase, distribución del mobiliario, etc.

Os sugerimos a continuación algunas actividades que podéis hacer en clase con vuestros alumnos para fomentar la discusión sobre estos temas:

1. Durante cinco minutos piensa en un buen profesor/a que tuviste en tu período escolar. Trata de analizar qué tenía o qué hacía esa persona para que te gustara.

2. Piensa en tres adjetivos que describan:
   a) a un buen alumno
   b) a un mal alumno
   c) cómo se sienten los alumnos en una clase de idiomas.

3. Completa las siguientes frases:
   a) Lo que menos me gusta hacer en clase es....................
   b) Lo que más me gusta hacer es.....................................
   c) Siento que aprendo cuando...
   d) Es muy molesto en clase cuando..................................
   e) Es muy aburrido cuando..

4. Intenta provocar una discusión sobre:
   a) Los profesores no son absolutamente necesarios para aprender un idioma.
   b) La única forma de aprender un idioma es repetir y repetir.
   c) Sólo se puede aprender un idioma viviendo en el país en que se habla.

5. Coloca estas frases por orden de importancia. Un buen profesor/a es aquel que:
   a) explica bien
   b) corrige los errores
   c) habla perfectamente el idioma que enseña
   d) sabe mucha gramática
   e) es ameno
   f) hace participar a todos los alumnos
   g) nos hace partícipes del programa y del método
   h) trata a todos los alumnos por igual
   i) se preocupa por nosotros como personas y no como alumnos
   j) repite si no entendemos
   k) sabe mantener el orden con autoridad.

Os proponemos intercalar todas estas actividades a lo largo del curso y no hacerlas todas los primeros días de clase.

Las razones de esta progresión son:

- No "agobiarlos" con nuestras preguntas.
- Darles tiempo para que conozcan nuestra forma de trabajar.
- Esperar a que tengan confianza para decirnos lo que piensan, así como mayor seguridad en sus opiniones.

CAPÍTULO

2.

USO DEL AULA

1. ¿Cómo es el aula donde trabajas: forma, tamaño, decoración, etc.?

2. ¿Qué es lo que te gusta de tu aula?

3. ¿Cuáles son sus inconvenientes?

4. ¿Qué podrías cambiar?

5. ¿Cómo puedes convertir las paredes en una ayuda para tus clases?

6. ¿Qué uso haces de la pizarra?

7. ¿Qué importancia crees que tiene la distribución del mobiliario (sillas, pupitres, etc.) en el aula?

8. ¿Cómo puedes decorar la clase?

9. ¿De qué tipo de material y equipo dispones: magnetofón, vídeo, cartulinas, rotuladores, etc.?

10. Del que no dispones, ¿qué material sería fácil de conseguir o confeccionar?

11. ¿De qué depende la agrupación y movilidad de los alumnos en el aula? ¿en grupos, de pie, sentados, etc.?

12. ¿Qué factores condicionan que tú estés de pie, sentado, entre tus alumnos, etc.?

El ambiente que nos rodea en el desarrollo de una clase tiene una gran repercusión en lo que sucede dentro de ella, es decir, en el aprendizaje. Una habitación incómoda, fría o donde haya demasiado ruido puede provocar una falta de concentración o malestar; el no ver la cara de un compañero u oír al profesor/a con dificultad, una falta de comunicación; el uso exclusivo de la pizarra y el libro como materiales, aburrimiento y desmotivación.

Si queremos emprender una labor que tiene mucho de intelectual y también de emocional - el aprendizaje de una lengua - tendremos que asegurarnos previamente de que las necesidades primarias, tales como el sentirse cómodo en el asiento, una buena temperatura de la habitación, el oírse y verse sin dificultad, etc., están cubiertas. El buen uso del espacio donde trabajamos ayuda al aprendizaje satisfactorio de una lengua.

Dentro del aula hay elementos que no se pueden alterar, pero otros muchos sí se pueden cambiar, añadir o eliminar.

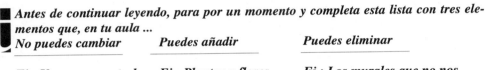

Antes de continuar leyendo, para por un momento y completa esta lista con tres elementos que, en tu aula ...

No puedes cambiar	*Puedes añadir*	*Puedes eliminar*
Ej.: Una mesa central grande y fija	*Ej.: Plantas o flores*	*Ej.: Los murales que no nos gustan* ....

ELEMENTOS QUE NO SE PUEDEN CAMBIAR EN EL AULA

Cada aula tiene un tamaño que no podemos alterar; no obstante, al igual que reorganizamos nuestro cuarto de estar, ¿nos hemos planteado alguna vez "redecorar" el recinto donde pasamos gran parte de nuestro día? ¿Es imposible hacerlo o quizás más fácil de lo que nos parece? ¿Qué tal si cambias de sitio la disposición de las mesas y de las sillas? Y esa esquina "muerta", ¿qué puedes hacer con ella?; tal vez colocar una estantería...

Cierra los ojos y piensa en las paredes de tu aula. ¿Qué hay sobre ellas? ¿Cuándo fue la última vez que cambiaste la decoración?

Antes de continuar nos gustaría hacer una salvedad: es verdad que no siempre se dispone de un aula propia. En la mayoría de los casos ésta tiene que ser compartida por varios profesores y por varios grupos de alumnos. A veces, incluso tenemos que andar deambulantes de un aula a otra o de un centro a otro. De ser ésta tu situación, no abandones el capítulo, seguro que puedes hacer algo de lo que te proponemos o que se te ocurren nuevas ideas durante su lectura.

LAS PAREDES

El primer uso que se nos ocurre de las paredes es colocar carteles; bien relacionados con el mundo hispano o simplemente carteles decorativos que contribuyan a crear un ambiente más agradable en la clase. Hay profesores que no están de acuerdo con esta idea, porque opinan que distrae a los alumnos y que lo mejor es tener las paredes vacías.

¿A ti qué te parece?

Otro uso de las paredes es como elemento mnemotécnico, es decir, como ayuda para que los alumnos memoricen. El grupo puede confeccionar murales para sistematizar lo que se va aprendiendo y tenerlos a la vista para que en cualquier momento sirvan de repaso. De esta manera, gracias a la memoria visual, se retiene mejor lo trabajado.

Estos son algunos ejemplos del tipo de mural que puede ser confeccionado por el profesor/a, los alumnos o todos juntos:

| za
~~ze~~ ce
~~zi~~ ci
zo
zu | Zapato
trece
cigarrillo
cazo
zumo |

Confecciona murales para sistematizar:
- Los pronombres personales de objeto directo.
- Vocabulario sobre el tema de los deportes.
- La situación de comprar un billete o pedir información en una estación.

EL SUELO

El utilizar o no el suelo depende de cómo sea éste de cómodo, y de si hay mesas donde los alumnos puedan extender un buen número de tarjetas y dibujos. En caso de que no se disponga de una buena mesa y de que no se pueda construir una con las individuales de los alumnos o de si sólo se tienen sillas de pala, entonces el suelo puede ser muy útil para colocar el material con el que van a trabajar sin que se caiga y con suficiente espacio. Da un tono más informal y hay un cambio de posición para evitar estar en la misma demasiado tiempo.

¿Cuál crees que sería la reacción de tus alumnos si les mandaras sentarse en el suelo?

LA PIZARRA

La utilización de la pizarra es importantísima. En muchos casos se convierte en el libro de texto y siempre es una gran ayuda.
Nos sirve para:
- pegar fotos y dibujos, pequeños objetos, regletas de colores, etc.
- escribir y dibujar utilizando tizas o rotuladores de colores.

Al igual que planeamos nuestra clase, también tenemos que "planear" la pizarra y pensar antes de empezar a escribir. Si no tenemos cuidado, se puede convertir en nuestro refugio y nos puede ocurrir que nos quedemos de pie, cerca de ella, como protegidos, y que en una reacción inmediata escribamos todo lo que estemos explicando sin preguntarnos por qué lo escribimos.

En tu próxima clase, cuando ésta termine, retírate y contempla el resultado de tu pizarra. ¿Te gustaría copiarlo a ti?

Una buena costumbre es dividir la pizarra en dos:
a) Una parte para "sucio", para ir escribiendo aquello que salga de forma improvisada y que podamos ir borrando.

b) Otra parte que vamos construyendo poco a poco y que los alumnos copiarán al final de la exposición. Los alumnos no pueden pensar, hablar y escribir al mismo tiempo, no les es posible estar atentos a todo y puede causarles confusión. Si nos ayudan en la construcción de la pizarra, luego les podemos dar tiempo para que copien lo escrito. La pizarra tiene que ser clara y lo que copien tiene que servirles de ayuda cuando estén en casa, para comprender lo que han estado trabajando durante el día. No les puede ser útil una serie de palabras escritas de forma aleatoria y sin estar en contexto.

¿Qué podrías hacer para mejorar esta pizarra?

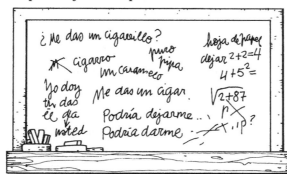

¿De qué otra forma se te ocurre organizar esta pizarra con los elementos contenidos?

ELEMENTOS QUE SE PUEDEN CAMBIAR EN EL AULA

El aprendizaje resulta más difícil si se está incómodo. Para formar un grupo unido todos nos tendremos que sentar de tal forma que nos podamos ver y oír bien. Si queremos romper el distanciamiento entre los miembros del grupo habrá que empezar por cuidar la disposición física.

Deberíamos tener en cuenta elementos tales como la ventilación, el ruido, el sol, la luz y la calefacción (tanto si hay demasiado como si es insuficiente). Todo esto influye en el rendimiento de los alumnos. Si nos da la luz del sol en los ojos, si tenemos frío o calor, es muy difícil que podamos concentrarnos y trabajar a gusto. Como profesores nos podemos plantear el hacer de nuestra clase, dentro de nuestras posibilidades, el lugar más adecuado para un buen aprendizaje. Lo más importante es ser consciente de ello y procurar que se cumplan las mejores condiciones.

Pon en una lista tres problemas que tenga tu aula.
Puedes evaluar tu clase según el criterio antes mencionado. ¿Hay algún problema?
¿Qué puedes hacer?

Creemos que hay muy pocos casos en los que nos prohíban cambiar la disposición del mobiliario. Sí que puede ocurrir que lo tengamos que volver a dejar donde estaba. Aunque es un poco pesado hacerlo todos los días, merece la pena. Nuestros alumnos nos ayudarán con gusto en cuanto vean las ventajas que les reporta. No tiene tampoco por qué estar siempre de la misma forma. Lo podemos cambiar de acuerdo con las actividades que vayamos a realizar. Siempre tiene que estar a nuestro servicio y no nosotros al suyo.

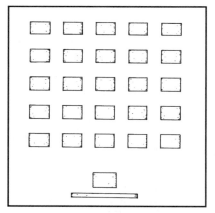

Coloca los muebles de forma diferente a la del ejemplo para:

a) Un debate,
b) juego de roles simulando una fiesta,
c) confección de unos minidiálogos de forma escrita.

(La situación sería un grupo de 25 alumnos con pupitres individuales móviles. El profesor/a también tiene un pupitre individual.)

ELEMENTOS QUE SE PUEDEN AÑADIR

Hemos mencionado anteriormente, cuando hablábamos de la explotación didáctica de las paredes, algunos elementos que se pueden añadir. Queremos incluir aquí el equipo y material que utilizamos para ayudarnos en nuestras clases como apoyo al libro de texto.

A. MATERIAL AUDIOVISUAL: RETROPROYECTOR, MAGNETOFÓN, VÍDEO.

Su buen o mal funcionamiento también repercutirá en el aprendizaje. Debemos estudiar con cuidado su ubicación, más o menos alejado de los alumnos en el caso del magnetofón o el vídeo; más o menos alejado de la pared en el caso del retroproyector.

De este modo evitaremos mucha frustración inútil en nuestros alumnos. Si a nosotros, como profesores, nos cuesta entender la cinta de vídeo o la canción, debido a la calidad del material, no podemos pretender que nuestros alumnos sean capaces de hacerlo. En ese caso será mejor que prescindamos de ese material.

EL RETROPROYECTOR

En cierto modo se puede decir que es una modalidad de la pizarra. Muy utilizado en conferencias, a veces es abandonado en la sala de material y los profesores ni saben de su existencia.

Goza de grandes ventajas respecto a la pizarra y a otro tipo de material; éstas son algunas de ellas:

1. Se pueden utilizar dibujos pequeños o textos con grupos de alumnos numerosos, sin necesidad de hacer ampliaciones ni fotocopias individuales.

2. Se pueden preparar las transparencias de antemano, consiguiendo así una elaboración más cuidada.

3. Se pueden guardar y archivar las transparencias para utilizarlas en clases posteriores.

4. Se puede jugar más fácilmente que con la pizarra:

a) Superponiendo transparencias.

Se proyecta la transparencia 1.

Mario llegó a la _____
justo a tiempo de _____ el tren.
Encontró un _____ vacío y
____ sentó a leer el periódico.
Cuando llegó el _____, Mario
estaba _____ dormido y ____
tuvieron que _____, interrumpiendo
_____ un hermoso sueño.

Se proyecta la transparencia 2.

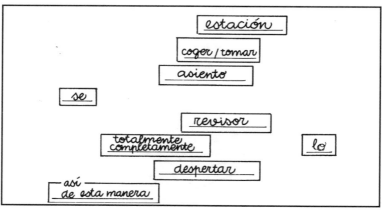

estación

coger / tomar

asiento

se

revisor

totalmente
completamente

lo

despertar

así
de esta manera

Así quedarían superpuestas.

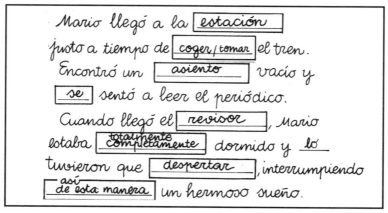

Mario llegó a la estación
justo a tiempo de coger / tomar el tren.
Encontró un asiento vacío y
se sentó a leer el periódico.
Cuando llegó el revisor, Mario
estaba totalmente completamente dormido y lo
tuvieron que despertar, interrumpiendo
así de esta manera un hermoso sueño.

b) Revelando o cubriendo dibujos o textos poco a poco.

Se revela la 2ª parte del dibujo cuando los alumnos aciertan lo que está haciendo.

Profesor/a: *¿Qué está haciendo?*

Alumno 1*: Está mirando por la ventana.*
Alumno 2: *Está pensando.*
Alumno 3: *Está posando.*

Profesor/a: *¿Qué diferencias hay entre ellas?*

Alumno 1: *La mujer es más gorda que la chica.*
Alumno 2: *La mujer es mayor que la chica.*
Alumno 3: *La chica es más guapa que la mujer.*

Profesor/a: *¿Por qué la ha pintado de forma tan diferente?*
Alumno 1: *Porque le pagan mucho dinero.*
Alumno 2: *Porque es muy vanidosa.*
Alumno 3: *Porque el pintor está enamorado de ella.*

Profesor/a: *Pues...veamos.*

Y sólo en este momento enseñar la transparencia entera.

c) Añadiendo u omitiendo recortes de transparencias de diversas formas, lo que nos permite una gran movilidad.

I)

Las diferentes transparencias del apartado I) se van superponiendo o retirando para provocar que los alumnos vayan diciendo frases parecidas a las que os acabamos de sugerir y así, entre todos, construir una historia.

d) Convirtiendo las transparencias en un rompecabezas.

Son piezas móviles que sólo al corregir el ejercicio se ponen en orden.

Carmen vivía en Santander desde hacía diez años	1
Trabajaba en un hospital como médico cirujano.	2
Un día le avisaron de que había ocurrido un accidente.	3
Cuando Carmen se acercó al herido,	4
no podía creer lo que veía.	5
Habían pasado diez años desde la última vez que se vieron	6
Pero el destino había querido volver a juntarlos, aunque esta vez era él quien estaba en sus manos.	7

Éste sería un posible resultado.

5. Se pueden crear las transparencias entre todos:
- Los alumnos van dictando al profesor/a y éste va escribiendo.
- Los alumnos se levantan y escriben ellos mismos, individualmente o en grupos peque-
ños.

Una vez confeccionadas, los alumnos tomarán el papel del profesor/a y se lo explicarán al resto de la clase. Estas transparencias pueden fotocopiarse y entregarse o trabajarse en una clase posterior.

6. Se puede centrar el foco de atención de nuestros alumnos al encender el proyector o dirigirlo a otro punto, como la pizarra o el profesor/a, cuando lo apagamos.

EL MAGNETOFÓN

El magnetofón se puede utilizar para:
a) Trabajar las cintas que acompañan al libro de texto.
b) Trabajar las cintas confeccionadas por el profesor o los mismos alumnos.
c) Trabajar materiales complementarios como canciones, poemas, etc.
d) Grabar a los alumnos.

Cuando utilizamos el magnetofón hemos de tener en cuenta que:
1. La cinta sea de buena calidad. De no ser así, es mejor que nos olvidemos de ella.
2. Es preciso preparar el magnetofón y la cinta de antemano, así como ajustar el volu-
men y el tono y asegurarnos de que la cinta esté preparada en el punto que haremos escuchar. Para ello debemos aprender a conocer el aparato y el contador. Comprobaremos también que se escucha bien en toda el aula, para lo cual nos retiraremos al fondo de la clase.

El magnetofón no tiene por qué utilizarse con todo el grupo a la vez ni ser controlado por el profesor. Se pueden formar grupos pequeños que van escuchando de for-
ma rotatoria mientras el resto realiza otra actividad. Los mandos del aparato pueden ser controlados por los alumnos, ser ellos quienes decidan cuándo pasar o rebobinar.

Como ya hemos dicho anteriormente, podemos utilizar el magnetofón para grabar a nuestros alumnos. Una de las razones sería aprovechar la grabación para reali-
zar un ejercicio fonético posterior con los problemas que hayan surgido. De esta forma los haremos conscientes de su pronunciación y, partiendo del intento de corregir sus propios errores, crearemos la necesidad de trabajar este tema.

EL VÍDEO

Al utilizar el vídeo deberíamos tener en cuenta los mismos puntos que con el magnetofón. A éstos se añaden el conseguir una buena imagen y asegurarnos de que todos los alumnos gozan de una buena visibilidad; para esto, cuidaremos la disposición del mobiliario y nos ocuparemos de que haya una apropiada luz interior y exterior.

Trabajar con el vídeo nos ofrece una serie de ventajas que no nos reporta otro tipo de material. No podemos olvidar que estamos, en la actualidad, inmersos en el mundo de la imagen, y nuestros alumnos, al estar totalmente familiarizados con este medio, se sienten más predispuestos a utilizarlo. El vídeo nos permite una contextualización directa entre el lenguaje y la situación que lo enmarca. Muestra también un lenguaje no verbal (expresiones, gestos, etc.) al cual no podemos acceder con el magnetofón.

Introduce, además, al alumnado en la cultura del mundo hispano, dándole a conocer una gran variedad de situaciones, paisajes y tradiciones; es decir, con el vídeo tenemos la oportunidad de "viajar".

B. ILUSTRACIONES

1. Láminas: Se pueden pegar o colgar en la pizarra y en la pared. Normalmente se utilizan con todo el grupo. Podemos utilizar las que ya existen comercializadas para la enseñanza de varios idiomas y también para tratar diferentes temas en la enseñanza primaria y secundaria, puesto que la mayoría sólo contiene dibujos y no hay en ellas texto escrito. Nos sirven para presentar lenguaje contextualizado, hacer hablar a los personajes, describir, etc.

2. Cartulinas: Son una excelente ayuda en nuestras clases, tanto en los momentos de presentación del lenguaje como en la práctica del mismo; este material es muy fácil de confeccionar, bien pegando una foto o dibujando con un rotulador grueso por una o ambas caras o escribiendo en ellas.

a) Tipos:

1. Fotos o dibujos
   personas
   animales
   objetos
   lugares
   acciones
   situaciones

2. Palabras aisladas o frases

¿Te apetece venir a tomar una cerveza?

Es que la tengo sucia

abogado

¿Por qué no te pones la falda negra?

¿Abro la ventana?

camarero

¡Qué calor hace!

Lo siento, pero ya he quedado con unos amigos

dependiente

médico

b) Uso:

1. Distribuidas por el suelo

Cuando los alumnos disponen sólo de sillas con pala y el suelo es de moqueta o de otro material limpio y cómodo, se puede recurrir a él para extender una serie de tarjetas. Todos las ven bien y pueden moverse alrededor, cogiéndolas y volviéndolas a dejar.

2. Pegadas en la frente o espalda con una plastelina especial

Se realiza de esta manera cuando los alumnos tienen que adivinar, por ejemplo, qué personajes famosos representan, o qué profesión tienen. Todos los compañeros ven lo que está escrito en la frente o en la espalda, pero ellos no. El grupo se pone de pie y se mueve alrededor de la clase hablando y participando todos a la vez. Algunos prefieren en la espalda, otros en la frente. El resultado es el mismo, así que se les puede preguntar qué prefieren.

3. Pegadas en la pizarra

Con esta plastelina especial también podemos pegar nuestras cartulinas con fotos de personajes o lugares en la pizarra. Los alumnos también se pueden levantar y pegarlas. Por ejemplo, en grupos tienen una frase recortada en varias partes y ellos la tienen que reconstruir pegando los diferentes trozos que tienen.

4. Sobre la mesa

Se pueden juntar varias mesas y allí extender las cartulinas con las que vamos a trabajar.

5. Controladas por el profesor/a

El profesor/a utiliza las cartulinas para presentar, por ejemplo, vocabulario. Es él quien en estos momentos controla todas las cartulinas. Puede estar de pie o sentado, como le resulte más cómodo.

Estas tarjetas pueden ser confeccionadas también por los alumnos, y así se las pueden llevar a casa, intercambiar o bien almacenar en cajas en el aula y sacarlas de vez en cuando para repasar. De este modo los alumnos hacen un uso continuo de ellas. Es un recurso para ir enseñándoles a trabajar solos, a descubrir la lengua por ellos mismos, a ser más independientes.

Diseña una serie de tarjetas para:
- La diferencia entre "hay/es/está" a un nivel de principiantes.
- La función de expresar probabilidad a un nivel intermedio (Quizás es.../Puede ser una...).
- Vocabulario de herramientas a un nivel avanzado.

C. REGLETAS

Son unos objetos rectangulares (*) de madera de colores y tamaños diferentes.

a) Tienen la gran ventaja de actuar de comodines, es decir, pueden representar cualquier cosa; sólo depende de nuestra imaginación y de lo que vayamos creando todos juntos. Tan pronto se convierten en un barco como en un avión, una sílaba, un acento, un policía, etc. Las regletas son pequeñas, fáciles de transportar y duran más que las cartulinas. Se pegan a la pizarra con un tipo de plastelina especial. También pueden distribuirse sobre las mesas de profesor/a y alumnos.

b) Tienen múltiples aplicaciones. A continuación trataremos de ilustrar algunas de las muchas posibilidades que nos ofrecen:

(*) Nota del Editor: dado que el libro es en blanco y negro representamos los colores con puntos, rayas, etc. Igualamos tamaños para que no resulten demasiado pequeñas. Por último advertimos que en la realidad son menos aplanadas y de mayor volumen.

- Pronunciación: para trabajar, por ejemplo, la sílaba tónica de las palabras.

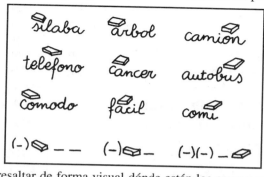

- Corrección: para resaltar de forma visual dónde están los errores y dar a los alumnos la oportunidad de que se corrijan.

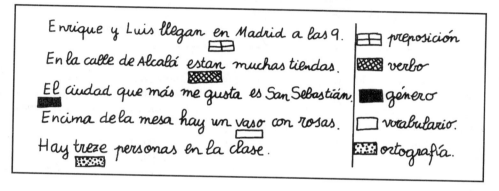

- Vocabulario: Una actividad sería hacer un ejercicio para ayudarlos a memorizar. El profesor/a apunta a las diferentes regletas a la vez que los alumnos dicen el nombre escrito al lado de ellas. Después el profesor/a va borrando progresivamente estos nombres, mientras los alumnos siguen repitiendo los nombres asociados a estas regletas hasta que no quede ningún nombre en la pizarra.

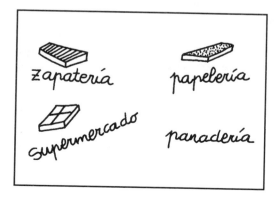

- Estructuras gramaticales: cada regleta (según tamaño y color) corresponde a una categoría de palabra (artículo, verbo, preposición... etc.). El profesor/a va haciendo distintas combinaciones y los alumnos tienen que crear frases que se ciñan a esa estructura.

D. OBJETOS REALES

Son muchos los que utilizamos porque están cerca: ropa, partes del cuerpo, objetos que se llevan normalmente en un bolso, etc. No obstante, al saber de antemano lo que vamos a trabajar en clase, muchas veces podemos añadir unos pocos objetos más a nuestra ya abombada cartera. Utilizarlos tiene muchas ventajas:

- Son más claros que los dibujos, sobre todo para aquellos que no dibujamos bien.

- Son auténticos, se pueden tocar, oler, oír; es decir, utilizar los sentidos, lo que ayuda a aprender mejor.

Ejemplos de objetos que podemos llevar a clase: un botiquín, fruta o verdura, utensilios de limpieza, cosas hechas de oro, plata, acero, etc.

E. POSICIÓN FÍSICA

Aunque este capítulo está dedicado al material, nos ha parecido oportuno incluir la posición física de los alumnos y del profesor/a por estar íntimamente ligada a la distribución y utilización del mobiliario y material.

Ya tenemos toda la clase preparada: la decoración, la temperatura apropiada, la pizarra está limpia y, ahora, ¿dónde nos colocamos? ¿Qué hacemos: nos sentamos o nos quedamos de pie? ¿Nos ponemos enfrente de los alumnos o hacemos entre todos un círculo?

Piensa por un momento en tu última clase ¿Dónde estuviste la mayor parte del tiempo? ¿Por qué?
Y algunos de los últimos profesores que has tenido, ¿dónde solían ponerse? ¿Todos en el mismo sitio? Si no es así, piensa en el distinto efecto que tenía sobre los alumnos.

Si ya nos planteamos diferentes posibilidades, éste es un buen comienzo. La respuesta será: la posición física dependerá de nuestros objetivos y de las actividades que vayamos a realizar. Serán éstos los factores que provocarán la distribución de los alumnos y la nuestra.

Antes de continuar, sabemos (por experiencia propia) que hay muchos grupos que trabajan con pupitres clavados en el suelo. Esto presenta algunos problemas pero no es excusa para una falta de dinámica. Muchas son las cosas que se pueden adaptar.

Continúa leyendo y luego haz una lista de lo que puedes hacer de las ideas que proponemos.

El primer momento de cada clase está dedicado a saludar a los alumnos, para seguir inmediatamente después con cuestiones de organización, corrección de deberes, pasar lista, etc., y con la presentación de la clase de ese día. Es en este momento cuando se empieza a crear un ambiente de grupo, rompiendo la barrera entre profesor/a y alumnos. Debemos, pues, asegurarnos de que no hay impedimentos para la comunicación. Comprobar que todos nos vemos y nos oímos lo mejor posible.

A partir de este momento, la posición dependerá de los objetivos de cada actividad. Un cambio de dinámica no es un capricho, todo debe estar reflexionado y no improvisado.

Veamos distintos momentos de una clase y la posible posición de los alumnos y del profesor/a:

1. Presentación de los exponentes funcionales para pedir favores.

El profesor/a presenta a través de mímica y construye con los alumnos frases del tipo:

-*¿Puedo cerrar la ventana?*
-*¿Puedo coger un cigarrillo?*

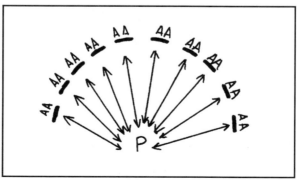

Posición: Es importante que el profesor/a sea el centro de atención y todos los alumnos lo vean y oigan bien.

2. Práctica controlada de lo anteriormente presentado en el apartado nº 1.

Los alumnos, en parejas, construyen unos minidiálogos a través de unas pautas dadas en tarjetas por el profesor/a.

Ej.: El minidiálogo construido por los alumnos sería algo de este tipo:
José: *Ana, ¿puedes coger el teléfono, por favor, que estoy en la ducha?*
Ana: *Sí, ya voy.*

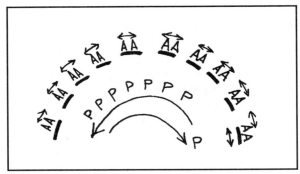

Posición: El profesor/a se acerca a las parejas para comprobar si han comprendido las instrucciones, para ver la marcha del ejercicio y para corregir.

3. Ejercicio de comprensión escrita para ayudar a los alumnos a ser capaces de seleccionar la información que les interesa de un texto.

a) Los alumnos leen el texto de forma individual.

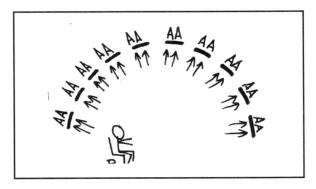

Posición: Lo importante en este caso es que el profesor/a esté quieto para no molestar a los alumnos. En todo caso, siempre fuera de escena, ya que son los alumnos los protagonistas, los que están realizando el trabajo individual.

b) Los alumnos realizan en parejas la tarea, que consiste en rellenar un gráfico con la información que se les ha pedido.

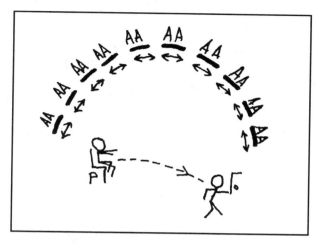

Posición: Dado que no es la primera vez que realizan este tipo de ejercicio y que el profesor/a quiere que los alumnos vayan siendo más independientes, opta por salir de clase o quedarse en una esquina si lo primero puede causar problemas.

c) Puesta en común.

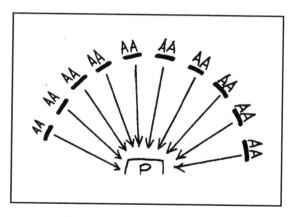

Posición: El profesor/a escucha el resultado de la tarea.

4. Ejercicio de expresión oral para que los alumnos adquieran más fluidez.

A partir del texto leído:

a) Los alumnos toman la personalidad de los personajes que aparecen en él y preparan una pequeña representación.

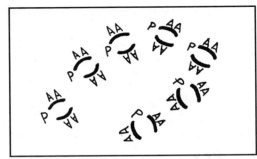

Posición: El profesor/a pasa por todos los grupos, se sienta con ellos e intenta ayudar-los.

b) Algún grupo de alumnos representa lo preparado ante los demás.

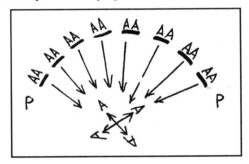

Posición: El profesor/a escucha, no interviene y toma nota de los errores para trabajar-los posteriormente.

Y a partir de estos esquemas, ¿qué tipo de actividad podrían estar realizando?

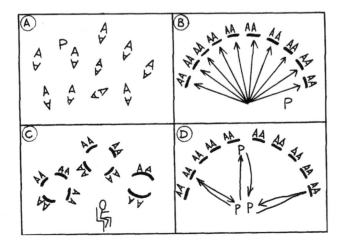

¿Cómo colocarías a los alumnos para realizar estas actividades?

a) Los alumnos están realizando una tarea mientras escuchan una grabación.
b) Los alumnos están montando unos murales sobre una ciudad española.
c) Los alumnos realizan unos cuestionarios sobre sus actividades cotidianas.

Como acabamos de ver, la posición de los alumnos y del profesor/a depende de los objetivos y de las actividades que realizamos para conseguirlos; sin embargo, hay otras razones de tipo pedagógico por las que ponemos a nuestros alumnos en parejas, en grupos o en un grupo. Veamos ahora cuáles son:

1. Los alumnos trabajan de forma individual:

> a) Para realizar la actividad necesitan concentración, deben trabajar solos y en silencio porque, por ejemplo, están leyendo un texto o porque están escuchando una cinta.
> b) Queremos que se esfuercen en hacer la tarea solos, aunque después forme parte de una actividad colectiva.
> c) Queremos evaluar su capacidad o habilidad individual.

2. Los alumnos trabajan en parejas:

> a) Tienen mayor oportunidad de practicar.
> b) Se ayudan y corrigen unos a otros. En este momento no es necesario que el profesor/a.compruebe todo lo que se dice.
> c) Se acostumbran a tomar más responsabilidades. Ej.: si terminan antes pueden decidir qué hacer mientras el resto del grupo termina (extender el diálogo, volver a hacerse las preguntas o intercambiarse los roles).
> d) El profesor/a puede prestar mayor atención individual sin que el alumno sea el centro de la clase.
> e) Los alumnos adquieren mayor seguridad en la pareja antes de poner en común el resultado con el resto del grupo.

¿Qué hacer cuando no es un grupo par? ¿De qué depende tu decisión?

3. Los alumnos trabajan en grupos:

> a) Aun pudiendo realizarse la actividad en parejas, muchas veces se prefiere el grupo por generar éste más ideas y opiniones. Por ejemplo, en un debate o en una discusión.
> b) Cuando la actividad requiere un número determinado de personas, por ejemplo, en algunos juegos o en la representación de una situación.
> c) Cuando la actividad puede ser dividida en diferentes tareas que luego formarán parte de un todo. Por ejemplo, planear unas vacaciones: el grupo A se

encarga del alojamiento; el B, del recorrido; el C, de la información cultural sobre la ciudad y el D, de hacer el equipaje.

d) Para "maximizar" el uso comunicativo del lenguaje, al realizar proyectos en los que los alumnos utilicen la lengua meta (lengua que se quiere aprender) en el transcurso de los mismos. Por ejemplo, tendrían que estar utilizando frases del tipo: *Pásame las tijeras; toma; ahora te toca a ti; ¿por qué no lo escribimos a la derecha?*; etc.

e) Por falta de material. Por ejemplo, sólo hay dos juegos de tarjetas o tres diccionarios.

f) Por una razón social. Para conocerse mejor y fomentar la solidaridad.

A pesar de todos los puntos favorables mencionados, trabajar en grupos o parejas presenta algunas desventajas.

¿Podrías enumerar tres problemas con los que te hayas encontrado y buscar posibles soluciones?

4. Los alumnos trabajan en un grupo:

a) Cuando el profesor/a está:
  - Explicando.
  - Presentando un nuevo lenguaje.
  - Utilizando mímica.
  - Utilizando ayudas visuales.
  - Dando instrucciones.

b) Cuando los alumnos están:
  - Escuchando una cinta.
  - Viendo un vídeo.
  - Interpretando un texto.
  - Realizando una prueba evaluativa.
  - Al principio o al final de la clase para saludar o despedirse.

Estas listas no pretenden ser exhaustivas ¿Podrías añadir otras situaciones?

Hemos estado hablando de las parejas y los grupos, pero, ¿cómo los formamos? (A partir de este momento nos referiremos a las dos posibilidades como "grupos" para no repetir).

En primer lugar, los grupos podrían ser fijos, formados desde el principio del curso, o variarlos a lo largo de éste. Los grupos se forman de manera:

a) Aleatoria. Muchas veces no es una decisión estudiada, sino que se juntan los propios alumnos.

b) Por decisión de los alumnos. Se conocen, se llevan bien y quieren trabajar juntos.

c) Por decisión del profesor/a. Hay varios modos de hacerlo:

> - Simplemente se señala a los alumnos y éstos se agrupan siguiendo un criterio que se explica o no.
> - Por medio de juegos. Ej.: Se les da a los alumnos un número. 1, 2, 3, 4; 1, 2, 3, 4; 1, 2, 3, 4. Y después se dice: *Los unos juntos, los doses juntos, etc.* Esto mismo se puede hacer por orden alfabético, fechas de nacimiento, aficiones o gustos.

Hay una tendencia general a sentarse siempre en el mismo sitio; nos da una cierta seguridad, además de responder a gustos personales. También tenemos que tener en cuenta que resulta intimidatorio si el profesor/a cambia a los alumnos de sitio sin ningún tipo de explicación. Aun respetando estas consideraciones, muchas veces las sacrificamos por motivos pedagógicos:

- Los alumnos trabajarán mejor si se conocen entre ellos.
- Ante diferentes niveles, pasan de ayudar a ser ayudados, según trabajen con un compañero que sepa menos o más.
- Para romper la monotonía y dar movilidad.

Otro factor que hay que tener en cuenta, además de la posición con respecto al aula, es si los alumnos y el profesor/a están de pie o sentados.

¿En qué momentos los alumnos pueden estar de pie?

> - Cuando construyen algo en la pizarra, bien de uno en uno, en grupos o todos juntos.
> - En actividades en las que tengan que rellenar cuestionarios o buscar a alguien que cumpla determinados requisitos.
> - Cuando se mueven por la clase porque tienen que ponerse en un orden determinado.
> - En juegos donde tienen que responder con mímica o corriendo por la clase.

¿Por qué opta el profesor/a por estar sentado o de pie?

Sentado al frente de la clase:

> - En actividades en las que el foco de atención esté dirigido a la pizarra; mientras copian, escuchan el magnetofón o ven un vídeo.
> - Es más fácil ser receptivo a los alumnos para darles tiempo antes de que hablen y para escucharles mejor. Se les transmite más tranquilidad y seguridad.
> - Al estar al mismo nivel que los alumnos se propicia el ambiente de grupo.

De pie al frente de la clase:

- Hay un mejor acceso a la pizarra.
- En principio marca una imagen más autoritaria, crea una distancia entre alumnos y profesor/a. (Por supuesto que esto es relativo, ya que depende, en gran manera, de la personalidad y los gestos que acompañen a la posición).
- Existe una mejor movilidad para operar con determinado equipo.
Ej.: retroproyector, vídeo, etc.
- En determinados momentos, como cuando damos las instrucciones o una explicación, el estar de pie favorece la visibilidad del profesor/a y del material, así como una mejor proyección de la voz.
- Al sentirse el centro y observado, tiende a controlar, a hablar y a moverse muchas veces sin ninguna razón. Un profesor/a hiperactivo pone nerviosos y distrae a los alumnos.

Estas reflexiones las hemos hecho considerando que es posible mover las mesas y ponernos todos en círculo cuando queramos. Si no es posible, podríamos buscar el equivalente a los efectos que producen estos dos tipos de posiciones. Ej.: Si todos los alumnos tienen una mesa individual y nosotros también, es posible que creemos la barrera si prescindimos de la nuestra. Del mismo modo, si el profesor/a tiene una mesa en una tarima es posible que, sentado, cree la barrera mientras que la rompería si se sentara encima de ella.

Tratando de resumir el capítulo en el que hemos visto el aprovechamiento del aula, material y disposición, tanto del mobiliario como de las personas, aunque parezca que todas estas decisiones estén en manos del profesor/a son también responsabilidades del alumno. A medida que nos vamos alejando del centro nuestros alumnos comienzan a serlo. Si el profesor/a está demasiado "disponible" puede provocar que los alumnos estén demasiado "pendientes" de él. Nuestra labor consiste en que se vayan haciendo cada vez más independientes, de manera que puedan continuar el proceso de aprendizaje sin nosotros.

CAPÍTULO

3.

USO DEL LENGUAJE

1. ¿Por qué habla el profesor/a durante la clase?

2. ¿Por qué hablan los alumnos?

3. ¿Qué proporción de tiempo habla cada uno?

4. ¿Por qué se producen los silencios en la clase? ¿Cuáles son las reacciones de los alumnos y del profesor/a ante estos silencios?

5. ¿Qué lengua se habla en el transcurso de la clase? ¿La que se está tratando de enseñar? ¿La del alumno? o ¿quizás una que tienen el profesor/a y los alumnos en común?

6. ¿Es igual la lengua que utilizas con tus alumnos en clase que la que utilizas en tu vida diaria? Si no son iguales, ¿en qué se diferencian?

7. ¿Cuándo traducen los alumnos no sólo en voz alta sino también para ellos mismos?

8. Cuando traduces tú, ¿a qué es debido?

9. ¿Qué tipo de terminología lingüística utilizas en tus clases?

10. ¿Cómo dar a unos alumnos que no saben casi nada de español instrucciones sobre las actividades que han de realizar?

Parece natural que los profesores **hablen** durante la mayor parte de la clase. ¿Cómo, si no, vamos a "enseñar", a "explicar"? Pero... ¿Nos hemos parado a pensar por qué hablamos? Es decir, ¿en qué momentos y con qué finalidad? ¿Qué pasaría si habláramos menos?

Intenta contestar a estas preguntas antes de continuar con el capítulo.

Nosotros hemos tratado de analizar los momentos en que hablan el profesor/a y los alumnos.

EL PROFESOR/A	LOS ALUMNOS
1. Al saludar y despedir a los alumnos.	**1**. Al saludar o despedirse.
Ej.: *Hola, buenos días a todos. ¿Qué tal estáis hoy?...*	*Hola, buenos días.*
Bueno, entonces hasta el lunes, que tengáis un buen fin de semana y que no se os olvide hacer los deberes. Adiós.	*Adiós, igualmente.*
2. Al dar las instrucciones.	**2**. Al pasar información y dar explicaciones de lo que el profesor/a ha dicho.
Ej.: *En parejas, vosotros dos, vosotros dos..., escribid tres cosas que hace falta preparar, que son necesarias antes de salir de viaje. Por ejemplo...*	Alumno 1: *¿Tenemos que escribir todo lo que necesitamos antes de salir de viaje?* Alumno 2: *No, solamente tenemos que escribir tres cosas.*
3. Al comprobar si entienden.	**3**. Al contestar las preguntas de comprobación del profesor/a.
a) Ej.: (Para comprobar si entienden el concepto de *¡Ojalá hubiera ido a la fiesta!*)	
Profesor/a: *¿Fue a la fiesta?* Profesor/a: *¿Está contenta ahora?* Profesor/a: *¿Puede ir todavía a la fiesta? ¿Es posible todavía?*	*No.* *No.* *No. Es imposible; fue ayer.*

b) Ej.: (Después de unas instrucciones para ver si las han entendido)

Profesor/a: *¿Cuántas palabras vais a escribir?*

Tres .

4. Al tratar asuntos administrativos.

Ej.: *Por favor, al final de la clase estas personas... tienen que pasar por secretaría para pagar.*

4. Al tratar asuntos administrativos.

¿Puedo pasar mañana a pagar? Hoy no tengo dinero.

5. Al dar modelos de lenguaje.

Ej.: *El curso dura tres meses.*

La clase dura tres horas.

Esta canción dura tres minutos.

5. Al repetir modelos de lenguaje.

Alumno 1: *El curso dura tres meses.*

Alumno 2: *La clase dura tres horas.*

Alumno 3: *Esta canción dura tres minutos.*

6. Al corregir.

Ej.: *Las gafas están encima ( ) la mesa.*
El hueco corresponde a un signo interrogativo en la entonación, para dar a los alumnos la posibilidad de autocorregirse. De no saberlo ninguno de los alumnos, el profesor/a repite la frase con la solución.

6. Al autocorregirse, al corregir a otros alumnos o al repetir lo que el profesor/a ha corregido.

*Encima **de** la mesa.*

7. Al dar información o contestar preguntas.

7. Al pedir información o al hacer preguntas.

a) Ej.: *¿Cuál es la diferencia entre "viejo" y "antiguo"?*

a) *"Antiguo" es algo viejo pero con un valor artístico o sentimental, no se puede utilizar con personas.*

b) Ej.: *En España la mayoría de las tiendas cierran al mediodía durante unas dos horas.*

c) *No, no se puede decir "soy de acuerdo". Siempre "estoy de acuerdo".*

b) (En este caso el alumno sólo escucha una información.)

c) Ej.: *¿Se puede decir "soy de acuerdo"?*

8. Al hacer preguntas.

a) Ej.: *¿Cuál es la diferencia entre "él llegó a casa cuando ella había salido" y "llegó a casa cuando ella salía?"*

b) Ej.: *¿Qué es gazpacho?*

8. Al contestar preguntas sobre la lengua u otros temas.

a) *La diferencia es que en "había salido" ya está fuera y en "salía" no; está todavía en la puerta, no ha terminado de salir.*

b) *Es una sopa fría de tomate y otras verduras.*

9. Al dar ejemplos.

Si un amigo me dice que se ha muerto su gato, yo digo: "¡qué pena!" O si te invito a mi fiesta del sábado y tú dices que no puedes venir porque tienes que trabajar, yo digo: "¡qué pena!".

9. Al pedir ejemplos.

Ej.: *No lo entiendo bien, ¿puedes darnos un ejemplo?*

10. Al charlar con los alumnos de una forma improvisada.

Ej.: *...y ¿qué tal ayer en el teatro, Pierre?, ¿te gustó?...*

10. Al charlar con el profesor/a o con otros alumnos de una forma improvisada.

Pierre: *Sí, me gustó mucho.*
Otro alumno: *¿Qué viste?*
Pierre: *Una comedia.*

11. Al trabajar la comprensión auditiva.

11. Los alumnos están en silencio.

Ej.: *Os voy a contar una anécdota que me ocurrió el otro día: Yo estaba en...*

12. Al hacer una transición de una etapa de la clase a otra.

12. Los alumnos están en silencio.

Ej.: *Ahora vamos a hacer un ejercicio para repasar lo que trabajamos ayer...*

13. Al dar pautas para que los alumnos produzcan el lenguaje que se está trabajando.

13. Al realizar ejercicios de mecanización siguiendo las pautas que el profesor/a dicta.

Ej.:   *Basura*
         Platos
         Cama

Ya bajo yo la basura.
Ya friego yo los platos.
Ya hago yo la cama.

14. Al dar la oportunidad a los alumnos de que sean ellos los primeros en producir el lenguaje que queremos trabajar.

14. Al contestar al profesor/a.

a) Lluvia de ideas.
Ej.: *A ver, ¿cuántos nombres de deportes conocéis?*

Tenis, golf, rugby...

b) Sondeo.
Ej.: *Estoy en casa con una amiga, sé que tengo muchas coca-colas en el frigorífico y le pregunto: "¿Quieres una coca-cola?". Mi amiga dice que sí. Cuando abro el frigorífico veo que se han terminado. "Lo siento, pero..."* (el profesor/a intenta averiguar si los alumnos conocen la frase: *no queda.*)

Alumno 1: *Ya no hay coca-cola.*
Alumno 2: *No quedan coca-colas.*

15. Al dar "feedback" * sobre lo que dicen los alumnos.

15. Al practicar una determinada parte del lenguaje. Por ejemplo, cómo se expresan sentimientos.

* feedback = realimentación. En comunicación, es la capacidad del emisor para percibir las reacciones del público.

El "feedback" puede ser:

a) Objetivo.

Sí, eso es correcto.

b) Evaluativo.
*Muy bien, Giovanna, ese ejemplo es exce-
lente.*
*No, no me gusta cómo has formulado la
frase.*

a) Ej.: *Es una pena que no puedas venir a
mi fiesta.*

b) Ej.: *Me alegro de que estés mejor.*

16. Al introducir un tema o una situación.

16. Los alumnos están en silencio.

Ej.: *Esta cinta trata de una pareja que
está en casa un domingo por la mañana.*

En cuanto a **los silencios**, son muy pocos los momentos en que tienen lugar en
la clase. Cuando ocurren, ¿por qué es? ¿es positivo? ¿es necesario? A continuación ana-
lizamos algunos de los momentos en los que pueden ocurrir.

1. Cuando los alumnos están realizando un ejercicio de forma individual.
a) Un ejercicio de comprensión escrita.
b) Un ejercicio evaluativo.
c) Un ejercicio de expresión escrita.

2. Cuando tanto el profesor/a como los alumnos necesitan tomarse tiempo para pensar
antes de hablar.
a) Después de que el profesor/a haya dado un modelo de pronunciación, los alumnos
deben interiorizarlo para reproducirlo a continuación.
b) Antes de contestar a cualquier pregunta. Al responder en una segunda lengua, el
alumno tiene que pensar no sólo en lo que dice, sino en cómo lo dice.

c) Al ser formulada una pregunta al profesor/a. Los alumnos deben acostumbrarse a que no somos ni gramáticas ni diccionarios parlantes y que necesitamos tiempo, igual que ellos, para dar una respuesta.

¿Puedes pensar en tres momentos más en los que suelan producirse silencios en la clase?

Creemos que lo más importante es perderle el miedo al silencio. En muchas ocasiones éste responde a un proceso de interiorización, de búsqueda de palabras, a un momento de confusión, de concentración o a unos minutos de descanso. De poco sirve angustiarlos o angustiarnos exigiendo una respuesta inmediata. Si no han tenido tiempo para pensar lo que quieren o tienen que decir, al meterles prisa conseguiremos sólo hablar nosotros.

Hasta ahora hemos reflexionado acerca de cuándo hablamos y por qué. La siguiente cuestión es en qué lengua lo hacemos:
a) La lengua meta, es decir, la lengua que estamos tratando de enseñar.
b) La lengua materna de los alumnos.
c) Especialmente en clases multilingües, una tercera lengua que todos -o la mayoría-tenemos en común.
Ej.: En un grupo compuesto por japoneses, suecos, italianos, americanos y alemanes, la lengua podría ser el inglés.

¿Qué razones existen para utilizar cualquiera de estas lenguas?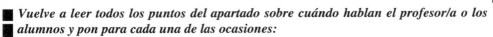

Vuelve a leer todos los puntos del apartado sobre cuándo hablan el profesor/a o los alumnos y pon para cada una de las ocasiones:
- Una L1, si utilizarías su lengua.
- Una LM, si utilizarías la lengua meta.
- Una L3, si utilizarías una tercera.

Hay algunos profesores que son totalmente contrarios a utilizar cualquier otra lengua que no sea la meta en ningún momento de la clase. Si tomamos esa decisión podemos controlarnos fácilmente porque depende de nosotros. El problema surge cuando son los alumnos los que utilizan la lengua no meta. Ejemplo: El profesor/a está intentando explicar -con muy poca fortuna- el significado de "sacar de quicio".
Ante el descontrol, los alumnos se empiezan a ayudar entre ellos utilizando otras lenguas.

A continuación hay una serie de extractos de clases reales donde ha tenido lugar la traducción:

Ejemplo 1: El profesor/a introduce una situación porque luego los alumnos van a practicar los exponentes de la función de invitar. Dice: *Entonces Laura llamó a Pedro para*

ir a patinar, ¿sí?
(se pone de pie y realiza la acción de patinar). Al no estar seguro de que su mímica sea lo suficientemente clara, lo dice en alemán: *"schlittschuhlaufen". Bueno, entonces él dijo...*

Ejemplo 2: Un alumno entra tarde en clase y el profesor/a dice: *Marion, now we are doing an exercise to practise... (ahora estamos haciendo un ejercicio para practicar...).*
Alumno: *Puedes hablar en español, entiendo.*

Ejemplo 3: El profesor/a está intentando explicar algo. Hay algunos alumnos que no lo entienden:
Alumno: *Mais qu´est-ce que vous voulez dire? S´il vous plaît, comment est-ce qu´on dit en français? Je pense que ça n´existe pas. (Pero, ¿qué quiere decir? ¿Cómo se dice en francés, por favor? Creo que no existe).*
Profesor/a: *Sí, sí existe, pero tienes que olvidarte de tu lengua. No puedes traducir todo el tiempo. Mira, lo voy a volver a explicar a ver si lo entiendes.*
Un compañero que sabe francés y que está al lado de él dice en voz baja: *Ça veut dire "il faut que" (quiere decir "es preciso que").*
Alumno: *¡Ahhhh! vale, vale, ahora lo entiendo.*
(Mientras tanto el profesor/a sigue explicándolo en español por cuarta vez.)

¿Estás de acuerdo con las decisiones que el profesor/a toma?
Si no, ¿cómo reaccionarías tú?

Nosotros pensamos que la traducción no tiene por qué desecharse, ya que tiene sus ventajas, aunque somos conscientes de sus peligros.

VENTAJAS DE LA TRADUCCIÓN
En ocasiones la traducción puede representar:

a) Un ahorro de tiempo.
Si un alumno se bloquea por un término (estructura o palabra) que no es nuestro objetivo y explicarlo nos desviaría del mismo, una traducción puede ser una solución rápida y efectiva.
Ej.: Para nombres muy concretos donde hay una relación paralela en las dos lenguas, como en los nombres de verduras, flores, etc. (ajo, clavel, etc.).

b) Una ayuda para aclarar un concepto.
Los alumnos necesitan, piden algo concreto. Esta necesidad se produce principalmente cuando el profesor/a no está presentando los conceptos con claridad o se está trabajando con expresiones hechas o refranes. El alumno se siente perdido, tiene una ligera idea de lo que puede ser pero quiere una mayor seguridad.
Ej.: Alumno: *¿Qué es "meter la pata"?*
Profesor/a: *Ah, se utiliza mucho en español. Ésta es la pata (tocándose la pierna), pero*

sólo se utiliza para animales. Ah, bueno, también para la silla y la mesa; a veces para personas de una forma muy coloquial. Por ejemplo, si estoy viendo la televisión y le digo a mi hermana: "Quita la pata de ahí, que no veo". De todas formas, es de mala educación y sólo se utiliza en contextos muy coloquiales. (Los alumnos empiezan a perder la concentración) *¿Qué es lo que estaba explicando? Ah, sí, "meter la pata". Bueno, te voy a poner otro ejemplo: yo te pregunto por tu perro y resulta que acaba de morir. Eso es una metedura de pata ¿Entiendes?*

Alumno: *No estoy seguro.*

Profesor/a: *Bueno, otro ejemplo. Voy a una fiesta, veo a un amigo y le pregunto qué tal está su novia y resulta que ya no tiene novia. Eso es meter la pata.*

El alumno sigue sin entender pero empieza a ponerse nervioso porque se da cuenta de que a causa de su pregunta el profesor/a lleva cinco minutos hablando sin que el tema interese al resto de la clase. Tiene una ligera idea de lo que significa, pero, por supuesto, no sabe cómo se utiliza. Dice que sí, que sí que entiende, para zanjar el asunto. Un compañero que ya lo sabía le dice muy bajito: *"To put your foot in it"*, y, de repente, en un segundo, el alumno comprende.

c) Un respeto al hábito de aprendizaje de los alumnos.

Muchas personas han aprendido a través de la traducción. Si se les obliga de repente a no buscar el equivalente en su idioma, ello les puede provocar una rebeldía o una frustración. El uso controlado de la traducción les dará seguridad, aunque nosotros intentaremos que ésta sea cada vez menos frecuente.

d) Un medio de comprobación para ver si han entendido el concepto.

Para ello el profesor/a, después de explicar algo en la lengua meta, pide a uno de los alumnos que lo formule en su lengua materna. Ej.: Profesor/a: *¿Cómo se diría "Acabo de recibir su telegrama" en alemán?*

Alumno: *Ich habe gerade Ihr Telegramm bekommen.*

PELIGROS DE LA TRADUCCIÓN

a) Buscar siempre el equivalente exacto.

- Por diferencias culturales y de forma de vida hay palabras o expresiones que son muy difíciles de traducir. A veces no existen ("tapas" en español); otras, un término corresponde a varios (estación: *gare, saison*) o viceversa (*glass*: vaso, copa, cristal).

- El profesor/a hace una mala traducción porque no conoce bien las dos lenguas. Ej.: *exciting* = excitante.

b) Abusar de ella y caer en la rutina de explicar todo en la lengua de los alumnos, y ellos utilizarla porque es más cómodo.

c) Si se utilizan las dos lenguas, es decir, primero la lengua meta y luego la traducción, puede ser en ocasiones un ejercicio muy bueno, aunque puede ocurrir que los alumnos desconecten en la primera parte, que es más costosa, porque saben que luego van a oírlo en su lengua.

d) Ayudar más a unos alumnos que a otros en el caso de que el grupo sea multilingüe y el profesor/a sólo conozca una de las lenguas y la utilice frecuentemente.

e) Los alumnos pueden estar tan acostumbrados a traducir que, cuando el profesor/a esté tratando de explicar algo con otros medios, éstos empiecen a darse unos a otros la traducción a medida que van entendiendo.

f) Olvidar las palabras, ya que es más fácil que ocurra, si sólo se da la traducción, porque entonces no se trabaja el contexto y no se tiene ninguna asociación para recordar.

g) Hacer la lengua menos accesible, menos natural, porque el alumno tiene que buscar primero en su lengua y luego traducir.

En resumen, optemos por utilizar o no la traducción, lo importante es no tomar una decisión drástica de antemano y actuar de acuerdo con la situación y el grupo con el que estamos trabajando, pensando que la traducción es un recurso más de nuestras clases.

Hasta ahora hemos hablado de la traducción como ayuda, pero también puede ser el objetivo de nuestra clase.

¿Qué valor puede tener un ejercicio de traducción en sí mismo tanto oral como escrito?

Si el grupo es monolingüe y el profesor/a tiene un buen conocimiento de la lengua de los alumnos, un buen ejercicio de traducción puede servir para consolidar lo que se está aprendiendo. Enseñaremos a nuestros alumnos a leer las frases y a traducir respetando el sentido global de las mismas. Al no traducir palabra por palabra, el alumno se dará cuenta de que esto no se debe hacer. Una buena práctica es traducir a la lengua de los alumnos de una forma literal, éstos se reirán porque *"no es incorrecto, pero no se dice así"*, con lo que les iremos demostrando que eso es lo que ellos hacen en español cuando intentan traducir palabra por palabra.

Muchas veces no es opción nuestra incluir ejercicios de traducción o no; un examen o una programación nos pueden obligar a ello.

¿Qué argumentos se te ocurren para incluir ejercicios de traducción por voluntad propia?

A la hora de hacer una traducción en clase, ésta no tiene por qué ser facilitada exclusivamente por el profesor/a, sino que los mismos alumnos pueden ayudarse o utilizar el diccionario. En este caso debemos tener en cuenta que:

- Hay alumnos que no suelen utilizar el diccionario en su propia lengua, por lo que tendremos que ayudarlos a familiarizarse con él primero y a saber manejarlo.
- Los diccionarios pueden crear, por una parte, una dependencia y no dejarles desarrollar la habilidad de la predicción y la deducción. Por otra, una buena utilización los ayuda a ser más independientes del profesor/a.
- El diccionario debe ser bueno. De no ser así, en lugar de ayudarlos, puede confundirlos.
- Si nos vamos a dedicar a dar definiciones, siempre serán mejores las de un buen diccionario.
- Si se acostumbran a utilizarlos en casa, ahorraremos tiempo que dedicaremos a otras actividades que los alumnos no pueden hacer solos, como, por ejemplo, mantener una conversación o ser ayudados en su pronunciación.

GRADUACIÓN DEL LENGUAJE

Si nuestra clase no está basada en la traducción como método, utilizaremos el español como fin y como medio para enseñarlo; en este último caso, ¿cómo utilizamos los profesores la lengua meta? ¿Cambiamos nuestra manera de hablar al entrar en clase?

A continuación señalamos algunos de los hábitos más frecuentes:

- Subir el volumen.
- Exagerar la vocalización.
- Reducir la velocidad.
- Seleccionar las palabras y estructuras que utilizamos.
- Gesticular más que de costumbre.

Nos preguntamos si realmente estos hábitos ayudan a que nuestros alumnos aprendan mejor. Además creemos que pueden conllevar una serie de riesgos. Puede ocurrir que:

1. Deformemos el lenguaje pronunciando "demasiado bien". En el discurso normal se producen más sinalefas, nos "comemos" sílabas y acentuamos menos palabras.

2. Nos entiendan sólo a nosotros y que en cuanto encuentren a otro nativo digan que habla mucho más rápido, por lo que les es imposible entenderlo.

3. Acabemos por hablar "mal" nosotros mismos. "Demasiado conscientes de cómo estamos diciendo lo que estamos diciendo". Ya no parece un lenguaje auténtico, sino el utilizado por algunos cursos para aprender español con voces totalmente artificiales.

4. Más tarde no nos entiendan cuando hablemos a una velocidad normal. Este es el comentario de un profesor/a: *Ya, pero si hablo en clase igual que hablo con mis amigos no me entienden nada y me piden que hable más despacio.*

¿Cuál es la solución entonces? Quizás ser lo más natural posible y encontrar ese punto medio entre lenguaje de clase y lenguaje "de copeo", cuidar nuestra pronunciación igual que lo hacemos cuando hablamos en público, pero sin permitir que se convierta en un lenguaje artificial.

UTILIZACIÓN DE TERMINOLOGÍA LINGÜÍSTICA

Una de las cuestiones que se nos plantea en la lengua que empleamos, al intentar explicar algo a nuestros alumnos, es utilizar o no terminología lingüística. Si el alumno es conocedor de ésta en su propia lengua, entonces nos será de una gran ayuda e incluso podremos ganar mucho tiempo. De no ser así, podemos optar por:

- Comenzar por enseñar esta terminología, es decir, explicar lo que es una preposición, una oración subordinada, un complemento directo, etc., si luego queremos utilizar estos términos.
- Prescindir totalmente de estos términos. Nuestros alumnos no son lingüistas, no tienen por qué conocerlos. El estudio de la gramática y de la fonética es muy distinto en los diferentes países. Hay algunos en los que se les da mucha importancia y otros en los que, por el contrario, no se les presta atención. Si no los conocen, el emplear estos términos, en primer lugar, no les ayuda en absoluto porque no saben de lo que hablamos. En segundo lugar, podemos causarles un sentimiento de ignorancia, de culpabilidad; pueden pensar que tendrían que conocerlos y no decirnos que no los entienden porque sería como admitir que son incultos, que no saben nada.

¿Cómo podrías cambiar las siguientes explicaciones sin utilizar estos términos gramaticales?

a) "Le" es complemento indirecto y "la" complemento directo.
b) La diferencia entre "¿le importaría abrir la ventana?" y "¿puedes abrir la ventana?" es una cuestión de registro.
c) El pretérito perfecto es una acción acabada en un tiempo no acabado.

Anota tres ejemplos en los que en tus clases utilices terminología lingüística. Piénsalo primero tú solo y luego intercámbialos con un compañero/a. Entre los dos tenéis que reescribir las frases prescindiendo de toda terminología.

Con todo esto no queremos decir que la inclusión de terminología sea nociva o totalmente inútil. En una clase algunos de los alumnos pueden estar ya familiarizados con ella. Además, saber cómo se llama lo que están trabajando les puede servir en un futuro para cualquier consulta en una gramática. Hay una gran diferencia, sin embargo, entre dar una referencia y basar la presentación del lenguaje en términos lingüísticos.

INSTRUCCIONES

Uno de los momentos más difíciles para ajustarse a la lengua meta es al dar instrucciones. Veamos un ejemplo (Se trata de una clase de principiantes que ha realizado unas 30 horas de clase):

Ahora quiero que os pongáis en parejas y rellenéis este ejercicio. Por favor, no os enseñéis los papeles. El objetivo de esta actividad es practicar los exponentes más utilizados en la función de la ubicación de objetos. Para ello, el que tiene el papel con la letra A tiene que preguntar a su compañero dónde están todas esas cosas que tiene dibujadas abajo; el otro tiene las respuestas en los dibujos, por lo que podrá responderle. Cuando el alumno con la letra A termina, le toca el turno al alumno con la letra B. Entonces comienza a preguntar también por todos los objetos que tiene dibujados abajo. Cuando terminéis podéis comparar los dibujos, pero os pido, por favor, que no lo hagáis antes. Ah, otra cosa, los objetos podéis o bien dibujarlos o bien escribir la palabra. Como prefiráis, ¿entendido?, ¿sí? Pues empezad.

¿Qué piensas de estas instrucciones?
¿Qué es esencial y qué no?
Según lo que hayas pensado, reescríbelas.

Muchas veces el profesor/a deja de hacer una actividad porque las instrucciones le resultan demasiado complicadas:*¿Cómo ponerlos en grupos y explicar lo que tienen que hacer si no me entienden? Mejor lo dejo y lo hacemos todos juntos o lo hago yo por ellos.*

No debemos olvidar que el momento de dar las instrucciones es uno de los más auténticos que tenemos para llevar a cabo el trabajo sobre la comprensión auditiva. Es una situación real, yo quiero comunicar a los alumnos algo "de verdad". No estamos escuchando una cinta ni imaginando. Ellos me escuchan y luego tienen que realizar lo que he dicho. Los alumnos no deben estar preocupados por el lenguaje que utilizo, sino que éste ha de servir de medio para entender lo que se debe hacer. Es una pena desaprovechar una oportunidad tan buena. Las instrucciones deberían ser:

- efectivas
- breves
- claras
- demostrativas.

El objetivo de las instrucciones es que los alumnos realicen la tarea, es decir, que sean efectivas. Por ello no deberían ocupar más tiempo del que se va a utilizar en el ejercicio. Tenemos que tener cuidado de no "enrollarnos". Deben ser, pues, breves y claras. Para ello, podemos utilizar un código que iremos creando con nuestros alumnos poco a poco; en él cuidaremos las palabras, los gestos y las ayudas visuales. Sobre todo en niveles bajos partiremos de los gestos e ilustraciones como apoyo visual que refuerce y, en ocasiones, sustituya nuestras palabras. Un signo de interrogación en la pizarra sustituye la instrucción de hacer una pregunta. Igualmente podemos ayudarnos de las manos para indicar que tienen que formar un grupo, levantarse, andar por la clase, escribir, escuchar, etc. Los gestos son una gran ayuda. No obstante, su mal uso crea fácilmente la confusión. Tenemos que mover las manos con seguridad y utilizarlas para expresar algo y no moverlas gratuitamente. En cuanto a las palabras, empezaremos por seleccionar las que vamos a usar y después, poco a poco, construiremos frases más complicadas.

Una vez que la primera instrucción se entiende, se empieza a alternar con la segunda para, posteriormente, prescindir de la más sencilla. Ej.: *Ahora todos juntos* (acompañado de un gesto con la mano). El siguiente paso: *Ahora vamos a poner en común lo que habéis hecho, todos juntos.* Al final: *Vamos a ponerlo en común.*

 ¿Cuál de estas palabras elegirías para dar unas instrucciones en un grupo de principiantes?

Relaciona	
Une	*el dibujo A con el B*
Casa	
Junta	

Hasta aquí hemos hablado de que las instrucciones deben ser efectivas, breves y claras. Muchas veces la forma más rápida de conseguir todo esto es hacer una demostración de lo que esperamos que hagan ellos; sobre todo cada vez que presentemos una nueva actividad o ejercicio. Para lo cual, el profesor/a, inmediatamente después de haber dado las instrucciones, tomará el papel del alumno y realizará la primera parte del ejercicio delante de todos. El profesor/a no dará por acabadas las instrucciones hasta comprobar que han sido entendidas. La típica pregunta: *¿Habéis entendido?*, nos sirve de muy poco. Sin duda han entendido algo, pero ¿es exactamente lo que tienen que hacer? Para la comprobación tenemos varias posibilidades. Algún alumno nos ayuda volviéndolo a explicar al grupo en su idioma (en una situación monolingüe y si el profesor/a lo entiende). Otra opción es empezar a hacer el ejercicio juntos. La tercera opción es acercarnos de forma individual a todos los alumnos una vez comenzado el ejercicio. Estas tres posibilidades no son excluyentes, por lo que podemos utilizar una, dos o las tres consecutivamente.

CAPÍTULO

ENSEÑAR VOCABULARIO

1. ¿Qué es vocabulario para ti?

2. ¿Qué significa aprender vocabulario?

3. ¿Cómo realizas la selección de vocabulario?

4. ¿Cuándo trabajas el vocabulario en clase?

5. Cuando presentas el vocabulario, ¿qué tienes en cuenta?

6. ¿Qué distintas formas de presentar vocabulario empleas?

7. ¿Cómo podemos practicar ese vocabulario?

8. ¿Qué haces para que tus alumnos no se olviden del vocabulario que estáis trabajando?

A la pregunta *¿Qué es vocabulario?* seguramente muchas personas contestan: LAS PALABRAS. Sin embargo, al pedirles que den ejemplos, se concentran en un tipo determinado y omiten palabras del tipo: *de, en, ese, aunque, lo.* Estas respuestas nos conducen a pensar que, por vocabulario, se entiende las palabras que tienen una mayor carga semántica. Sin querer entrar en debates, nos centraremos en esta consideración. Por lo tanto, en vocabulario incluimos:

sustantivos: ciudad, botella, árbol...
adjetivos: rojo, grande, redondo...
adverbios: despacio, desgraciadamente, pronto...
verbos: correr, querer, dejar...
expresiones: tomar el pelo, poner verde...
expletivos: pues, la verdad, es que...

El conocimiento de una palabra es un proceso muy complejo. Veamos qué es importante saber sobre el vocabulario o, dicho de otra forma, podemos decir que conocemos una palabra cuando:

- Somos capaces de pronunciarla.
- Somos capaces de escribirla correctamente.
- Sabemos reconocerla al oírla - de forma aislada y en combinación con otras palabras - o al verla escrita.
- Viene a nuestra mente en el momento en que la necesitamos.
- Sabemos cómo funciona gramaticalmente, es decir, si es un verbo conocemos su conjugación; en el caso de los adjetivos, su concordancia; el orden que ocupa en la frase; palabras que suelen ir juntas. Ejs.: fumador empedernido, está loca de remate...
- Conocemos todos los significados importantes.
- Sabemos utilizarla de forma apropiada en el contexto. Sabemos las connotaciones que tiene, tanto geográfica como socialmente. Ej.: la diferencia entre menor de edad, crío, niño, chiquillo...
- Sabemos no abusar de ella.

Todo esto nos empieza a decir que aprender/enseñar una palabra es mucho más que dar una explicación o una traducción. Es un proceso complejo que lleva tiempo. Lo primero en lo que debemos pensar es en no sobrecargar a nuestros alumnos con palabras inútiles y trabajar aquellas que ellos más puedan necesitar; debemos escoger cuidadosamente el vocabulario. A continuación exponemos algunos de los criterios que debemos seguir cuando lo seleccionamos (no están escritos por orden de importancia):

1. FRECUENCIA

Estudiaremos cuáles son las palabras más utilizadas en el idioma español. Para averiguar esto, bien nos guiamos por nuestro propio criterio o consultamos trabajos ya realizados, como libros de texto o el *Nivel Umbral* (*).

(*) Nivel Umbral: Trabajo realizado por el Consejo de Europa.

De las siguientes palabras, ¿cuáles te parecen más frecuentes? Escoge tres: nariz, ventana, negro, pagar, gracias, cerrado, generalmente, cerca, borracho, depende.

2. NECESIDADES / CURIOSIDAD DE LOS ALUMNOS

Dependerá de para qué están aprendiendo español. Es muy distinto el vocabulario que necesita una persona que va a utilizar el español en su trabajo de secretaria que el de un jubilado que va a pasar sus veranos a la Costa Dorada.

Sin embargo, parece que tendría que haber un vocabulario básico que todo el mundo debería aprender y éste es el que aparece en trabajos como el *Nivel Umbral*.

En cuanto a la curiosidad de los alumnos, puede ocurrir que el profesor/a sea muy selectivo pero, a pesar de ello, la clase empiece a bombardear con preguntas: Ej.: Estamos trabajando los adjetivos de carácter. Ya hemos seleccionado algunos... y... *¿Cómo se dice...?* y *¿cómo se dice...?* y *¿cómo se dice...?*

¿Qué podemos hacer ante esta situación?

a) Intentar explicarles que si no vamos a tener tiempo de practicarlas no sirve de nada decirles el significado o traducción de tantas palabras a la vez.
b) Controlarla con actividades en las que se mezcla un poco el juego y decimos algo como: *Sólo me podéis preguntar tres palabras por grupo.*
c) Acostumbrarlos a utilizar los diccionarios de una forma positiva.

Mañana vas a trabajar vocabulario. Escoge tres palabras que enseñarías en el campo semántico de la ciudad a estos tres grupos de alumnos:

a) Un grupo multilingüe de gente joven que está aprendiendo español en Madrid. La principal razón por la que están aprendiéndolo es para poder comunicarse con los españoles a nivel coloquial.
b) Un grupo de ejecutivos alemanes que mantiene relaciones comerciales con una compañía en Argentina.
c) Un grupo de niños de Estados Unidos que está aprendiendo español en la escuela. Las palabras son: teatro, cabina de teléfono, ayuntamiento, escuela, discoteca, banco, caja de ahorros, semáforo, tapas, comisaría, colectivo, metro, quiosco, tienda, ópera, instalaciones deportivas, hotel, marcha.

Escribe diez palabras que enseñarías los tres primeros días de clase a estos tres principiantes:

a) Una secretaria que quiere el español para su trabajo de relaciones públicas con una empresa sudamericana.
b) Un chico joven que quiere pasar unas vacaciones en España.
c) Una persona que ha sido destinada por cuestiones de trabajo a vivir en España.

3. UTILIDAD

Puede ser más útil enseñar la palabra *herramienta* que tres palabras que se refieran a tipos concretos de herramientas como: *martillo, alicates y destornillador.* De la otra forma el alumno puede utilizar estrategias comunicativas y decir que es un tipo de herramienta y luego pasar a describirla.

¿Cuál de estas palabras te parece más útil?:

andar   *pasear*
ir   *correr*
caminar   *saltar.*

¿Y de éstas?:
importante, edificio, rosa, flor, chisme, perfume, posibilidad, difícil, cerveza, tiempo.

4. FÁCIL DE ENSEÑAR / FÁCIL DE APRENDER

Puede haber varias razones para que sea así:
- Son palabras muy parecidas en sus idiomas o en otros idiomas que los alumnos conocen.
- Son palabras compuestas o derivadas y ellos conocen las palabras simples.
- Son palabras asociadas y probablemente más fáciles de recordar como: lunes, martes, miércoles...
- Son palabras muy concretas y tenemos muchas ayudas visuales para trabajarlas.

Hay una clasificación más amplia y que no hemos mencionado todavía. ¿Qué van a hacer nuestros alumnos con estas palabras en la mayoría de los casos?:

- Verlas escritas y entenderlas. Ej.: *Estado civil.*
- Oírlas y entenderlas. Ej.: *¿Qué desea?*
- Producirlas oralmente. Ej.: *Encantada.*
- Producirlas por escrito. Ej.: *Atentamente.*

Hay que tener en cuenta que las palabras que nosotros, como nativos, conocemos son muy superiores a las palabras que utilizamos. De esta manera podemos dividir el vocabulario en:

A. Productivo (El que utilizamos de forma activa tanto por escrito como oralmente).

B. Receptivo (El que nos encontramos tanto porque lo oímos como porque lo leemos).

Esta clasificación tendrá una gran importancia e influirá no sólo en nuestra selección, sino también en la forma de trabajar el vocabulario. Por lo tanto, habrá que plantearse para qué trabajar la pronunciación si solamente lo van a ver escrito, e, igualmente, habrá que asegurarse de que lo pronuncian bien o de que lo saben reconocer cuando lo oyen.

Clasifica este vocabulario en productivo y receptivo:
Bebidas, despacio, rebajas, desafortunadamente, sentenciar, acontecimiento, presun-
to, destino, firmar, café, sucio, cambiar, probador, alquilar, posible, encantada, cara-
jillo, fin, menestra de verduras, puerta de embarque, lunes, por consiguiente,
apartado, calle.

Después de haber seleccionado el vocabulario, tenemos que detenernos y analizarlo. ¿Qué tipos de problemas podemos tener nosotros y nuestros alumnos cuando estemos trabajando estas palabras? Vamos a ver qué hay que tener en cuenta cuando enseñemos vocabulario.

VERBO:
- ¿Es regular o irregular?
- Si es irregular, ¿en qué tiempo/s?
- ¿Necesitan saber ahora los alumnos las irregularidades?
- ¿El verbo es transitivo, intransitivo o ambas cosas?
- ¿Rige alguna preposición?

SUSTANTIVO:
- ¿Qué género tiene?
- ¿Es irregular el plural?
- ¿Tiene alguna irregularidad en cuanto a ortografía?
- ¿Suele ir asociado a otras palabras?

ADJETIVO:
- ¿Rige alguna preposición determinada?
- ¿Hay alguna irregularidad en cuanto a su comparativo y/o superlativo?
- ¿Se puede utilizar el diminutivo, aumentativo, despectivo? Si es así, ¿qué forma?

ADVERBIO:
- Si están formados a partir de un adjetivo, ¿es la forma irregular?
- ¿Dónde se colocan dentro de la frase?

El vocabulario aparece constantemente en la clase. Los alumnos y nosotros lo necesitamos. Sin embargo, son pocas las ocasiones en que se dedican clases al vocabulario como objetivo principal. Éste suele estar al servicio de otros objetivos:

- Para poder interpretar un texto.
- Para poder interpretar una audición.
- Para practicar unas determinadas estructuras gramaticales.
- Para practicar unas determinadas funciones.
- Para trabajar la fluidez de forma oral.
- Para trabajar la fluidez de forma escrita.
- Para practicar la pronunciación.

Desde nuestro punto de vista el vocabulario se puede:
1. Trabajar como objetivo de la clase.
Ejemplo:
- El campo semántico de los muebles (mesa, silla, armario, estantería, etc.).
- Vocabulario relativo a los trenes (estación, andén, billete, destino, ida y vuelta, etc.).
- Hablando de elecciones políticas (partidos, escaños, mítines, propaganda, izquierda, derecha, etc.).

2. Enseñar antes de un ejercicio de:
- Comprensión escrita.
- Comprensión auditiva.
- Expresión escrita.
- Expresión oral.
- Y de cualquier actividad donde el vocabulario sea clave para poder realizarla. Si hacemos un ejercicio de mecanización oral para practicar una estructura, el vocabulario debe ser conocido de antemano.

3. Enseñar según "va saliendo" porque lo necesitan los alumnos o porque hemos creado el interés.

4. Enseñar después de un ejercicio. La actividad que acabamos de realizar nos brinda la oportunidad de prestar atención a un vocabulario que, por estar en contexto, nos resulta muy fácil de trabajar.

5. Trabajar continuamente como repaso.

Ya hemos seleccionado y analizado el vocabulario que vamos a trabajar. El siguiente paso es cómo puedo ayudar a mis alumnos a que lo aprendan. Hay dos etapas: la presentación y la práctica.

PRESENTACIÓN

Llamamos presentación a la primera vez que los alumnos entran en contacto con una palabra, tanto con su forma como con su significado. Vamos a ver a continuación diferentes tipos:

a) Traducción. Ej.: *"Cuadro", en alemán, se dice"Bild".*
b) Explicación con ejemplos. Ej.:*"Mueble" es, por ejemplo, una silla, una mesa, un armario...*
c) Ilustraciones visuales:
- objetos reales: ropa, fruta, llaves...
- fotos: deportes, personas, animales...
- dibujos: tiempo atmosférico, lugares...
- mímica: estados de ánimo, verbos en acción...
d) Antónimos. Ej.: *"Holgazán" es lo contrario de "trabajador".*

e) Definición. Ej.: *"Regar" es echar, dar agua a las plantas.*
f) Sinónimos. Ej.: *"Empezar" es lo mismo que "comenzar".*
g) A través de un contexto.

De acuerdo con los tipos de presentación expuestos anteriormente, ¿cómo presentarías las siguientes palabras?:
berenjena, chocar, dolor de cabeza, chulo, alto, llaves, frigorífico, destornillador, tren, a menudo, estar negro, cambio, tacaño, acabar.

Cuando presentamos vocabulario debemos tener en cuenta que las palabras se componen de *forma*, es decir, de cómo se pronuncian y se escriben, y de *concepto*, es decir, de lo que significan.

En cuanto a la forma podemos comprobar con facilidad si la han aprendido: sólo tienen que escribirla y pronunciarla. El problema reside en el significado: ¿cómo sé yo que mis alumnos entienden lo que yo quiero que entiendan? Parece un juego de palabras pero, con toda probabilidad, es donde reside el mayor fracaso de nuestra enseñanza: el dar por hecho que, porque lo hemos explicado, ellos lo han entendido. Una pregunta del tipo *¿lo habéis entendido?, ¿está claro?* nos puede ayudar muy poco en la comprobación. Por ejemplo, cuando un alumno pregunta: *¿qué es falda?*, el profesor/a, que tiene la foto de una chica cerca, la muestra a los alumnos y, dirigiendo su dedo a la falda de la chica que aparece en la foto, dice: *esto*. Lo manda repetir, practica la pronunciación y dice:*¿sí? muy bien*. En las mentes de los alumnos podrían aparecer las siguientes imágenes:

Somos conscientes de que es un ejemplo exagerado, no obstante, sucede muchas veces al utilizar una mímica equívoca, unas ilustraciones confusas o unos ejemplos poco precisos. No podemos seguir adelante. Después de la presentación debemos pararnos aquí y asegurarnos de que lo han entendido. ¿Cómo?

1. Con preguntas de comprobación:

Ej.: Si hemos presentado la palabra *chica* con un dibujo, podemos mostrar otros dibujos de niñas y mujeres mayores para contrastar. Si no, pueden entender *mujer* o simplemente *sexo femenino* o incluso aquel color o prenda de ropa al que estoy apuntando. Comprobaremos que lo han entendido al mostrar el dibujo de niña o de mujer mayor y preguntar: *¿es una chica?*; si lo han entendido, contestarán que no.

Ej.: Si hemos presentado con mímica la expresión *tener sueño* preguntaremos: *¿Qué quieres hacer si tienes sueño? Contesta sí o no: ¿comer?, ¿sentarte?, ¿dormir?, ¿descansar?...*

2. Haciendo una frase:

Ej.: Si hemos presentado la expresión *tomar el pelo* invitaremos a nuestros alumnos a que hagan una frase que denote que han entendido el significado. No aceptaremos, por ejemplo, frases del tipo: *Ayer mi hermano me tomó el pelo; estoy harto de que me tomen el pelo*, ya que no demuestran que el alumno haya entendido el concepto. Aceptaremos, en cambio, frases del tipo: *Ayer conocí a un chico y me dijo que era actor, yo me lo creí y todos mis amigos se rieron mucho cuando hablábamos de las películas que había hecho. Total, que me tomó el pelo.*

3. Preguntando qué es lo contrario:

Ej.: Si hemos presentado la palabra *tranquilo* y sabemos que conocen su antónimo, preguntaremos: *¿cuál es el contrario?*

4. Preguntando una palabra o expresión parecida:

Ej.: Si hemos presentado la palabra *nevera*, les preguntaremos si conocen otra que signifique lo mismo.

5. Pidiendo una definición:

Ej.: Si hemos presentado la palabra *cuchara*, podemos preguntar a los alumnos para qué sirve.

Como hemos visto, el vocabulario requiere una atención que muchas veces no le damos. Para conseguir que el vocabulario sea bien aprendido deberemos tener en cuenta los siguientes pasos:

- Dar un modelo claro de pronunciación, lo que no significa pronunciar demasiado despacio porque corremos el peligro de deformar la lengua. Quizás es necesario hacerlo la primera vez para resaltar la forma, pero inmediatamente después lo pronunciaremos de una manera natural.

Si las palabras son compuestas se deben resaltar los componentes. Para mostrar la forma se puede utilizar la técnica de los dedos al igual que hacemos en la corrección (ver capítulo 10). Las palabras se descomponen en sílabas y éstas las representamos con los dedos. La ventaja que tiene esta técnica es que es muy visual y no necesitamos ningún material especial.

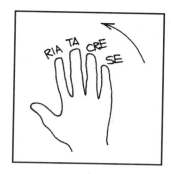

- Trabajar el acento tanto fonético como gráfico. El fonético se puede resaltar también con los dedos, y el gráfico cuando consolidemos el vocabulario en la pizarra.

- Una vez que los alumnos hayan oído/visto (o viceversa) el modelo, es conveniente que ellos repitan oralmente; es lo que llamamos mecanización. Con la mecanización debemos tener cuidado de no convertirnos en "loros". Sirve de muy poco que el profesor/a repita insistentemente la misma palabra de la misma forma, o, en el peor de los casos, hablando más fuerte. Si después de pronunciar nosotros la palabra de una forma clara, damos a nuestros alumnos un tiempo para que interioricen la nueva combinación de sonidos, no sólo no será necesaria nuestra repetición continua sino que ésta puede, incluso, dificultar el aprendizaje. En el caso de que al producirla nuestros alumnos cometan algún error, podemos utilizar la técnica de los dedos, ya mencionada, y señalar qué es lo que tienen que corregir: nos concentraremos en aquellas sílabas donde reside la dificultad. Algunos profesores prefieren no hacer repetir el vocabulario introducido a los alumnos porque creen que todavía no están preparados o que lo tienen que hacer espontáneamente cuando ellos quieran. De todas formas, si nos decidimos por la mecanización, ésta puede ser:

- Coral: todos los alumnos repiten al mismo tiempo.
- Individual: los alumnos repiten uno a uno. (A ser posible no en un orden establecido, ya que de esta forma tienen que estar más atentos.)

Enseguida ponemos la nueva palabra en una frase. Estas frases deben proporcionarnos un contexto con un significado claro. Ej.: Si los alumnos copian en sus cuadernos la expresión *Me pone los nervios de punta,* pueden integrarla en una frase y escribir: *Me ponía los nervios de punta oír el ruido insistente de las máquinas.*
- No debemos olvidar escribir la/s palabra/s en la pizarra. No importa en qué momento lo hagamos. Puede ser al principio de todo, en el desarrollo de la presentación, o al final, como consolidación. Lo que sí es importante es no olvidarlo, como tampoco hay que olvidar escribir el artículo para que aprendan la palabra y su género a la vez.
- Ahora los alumnos lo van a escribir en sus cuadernos. Es importante que nosotros les ayudemos a clasificarlo y no que lo anoten de una forma totalmente anárquica. Será necesario que lo repasen solos o todos juntos en clase. En la mayoría de los casos, una

palabra tiene que repasarse varias veces antes de que se aprenda. No podemos imponer a nuestros alumnos *nuestro* sistema de clasificación, pero sí sugerir algunos:

1. Por temas: fruta, muebles...
2. Por situaciones: comprando una casa, yendo al médico...
3. Por semejanza: guapo, atractivo, buen tipo, sexy...
4. Por parejas: alto/bajo, alumno/profesor/a...
5. Por escalas: demasiado, mucho, bastante, poco...
6. Por familias de palabras: nacional, nacionalizar, nacionalista...

ti *Si estuvieras enseñando una palabra sólo para reconocerla, ¿cuál de las etapas anteriores omitirías?*

      Una vez presentado el vocabulario hay que practicarlo para su consolidación. Esta PRÁCTICA se puede hacer de diversas maneras. Veamos algunas de ellas:

1. Emparejar palabras y definiciones.
Ejemplo:
- trozos pequeños
- grito terrible
- muñeco que se acciona con hilos
- instrumento para hacer agujeros
- persona que está en buena posición económica

1. alarido
2. taladro
3. acomodada
4. títere
5. añicos

2. Emparejar palabras y dibujos.

1. ola
2. acantilado
3. roca
4. sombrilla
5. tumbona
6. toalla
7. quiosco
8. arena
9. sombra
10. rayos

3. Agrupar palabras siguiendo un determinado criterio.
Ej.: De la siguiente lista escribe tres palabras para cada una de estas situaciones. Las palabras son:
maleta, cheque, billete, cuchara, médico, receta, plato, firma, vaso, ventanilla, medicinas, reserva.

Situaciones:

A. Estás sentada a la mesa.
B. Vas de viaje.
C. Estás enfermo.
D. Vas al banco.

4. Ejercicio de elección múltiple:

Ej.: Cuando vas al cine, necesitas:
a) una entrada   b) un billete   c) un ticket

La persona que trabaja en un restaurante es un:
a) dependiente   b) cliente   c) camarero

5. Un ejercicio donde se dejan en blanco las palabras que queremos repasar y los alumnos tienen que completarlo. Hay dos modalidades: se pueden dar las palabras desordenadas en un recuadro o no dar ninguna ayuda.
Ejemplo:
a) Con el nerviosismo tiró el vaso y .... el agua por el mantel.
b) Tienes que ser más organizada. ¿Por qué no lo .... por orden alfabético?
c) Compramos los muebles el año pasado y todavía estamos pagando las ....
d) No sé cuántos bolígrafos hay porque están todos .... por el suelo. Cógelos y los contamos.
e) Entraba todo en el mismo .... : la colonia, el desodorante y el gel.

          Las palabras que podemos presentarles opcionalmente son:
lote, esparcir, derramar, archivar, letras.

6. Se dan varias palabras y los alumnos las utilizan en un contexto.
Ej.: Escribe un pequeño diálogo (seis líneas) o un pequeño párrafo incluyendo las palabras:
parado, seguridad social, puesto de trabajo, justo, injusto, (no) estoy de acuerdo, sociedad.

7. Se da una definición y los alumnos escriben una palabra o viceversa.
Ej.: Escribe una palabra al lado de estas definiciones:
a) Pueblo pequeño
b) Que no tiene transparencia o claridad
c) Cabello falso.

Ej.: Escribe una definición al lado de cada palabra: a) fingir
                                                          b) aval
                                                          c) chillón.

8. Juegos:

a) crucigramas
b) sopa de letras
c) letras desordenadas
Ej.: ¿Qué aves son éstas?
NINOGDOLRA - RIGRONO - LMAPOA - IÜÑGECA

D. Las categorías
Ej.: Escribe una palabra dentro de cada apartado. Esta vez la palabra empieza por "S".
El primero que termine dice STOP (Cada palabra son diez puntos; si la palabra está repetida con la de otro compañero sólo son cinco):

NOMBRE	ANIMAL	ROPA	MOBILIARIO	EDIFICIO
Carlos	Caballo	Calcetín	Cama	Castillo
S	S	S	S	S

E. El juego del 1, 2, 3.
Ej.: Tienes un minuto para decir:

a) Palabras que empiecen por "z".
b) Cosas que se pueden poner en los pies.
c) Tipos de transporte.

F. Vaciar las vocales de una frase.
Ej.:   a) H_b_ _   d_m_s_ _d_   g_nt_   y   _r_   m_y   t_rd_ .
          b) L_s   g_f_s   _st_n   _nc_m_   d_   l_   m_s_.

Aunque hemos dividido las actividades para las dos etapas: presentación y práctica, no queremos decir que tenga que ser así siempre. Todas las actividades que hemos propuesto para la práctica pueden utilizarse también para la presentación. Otra posibilidad es que, en todo momento o de vez en cuando, nuestros alumnos descubran las palabras por ellos mismos, tanto individualmente como en grupos. Quizás los alumnos, al principio, rechacen está técnica: *¿Cómo lo vamos a hacer si no lo sabemos?* o *¿Para qué está el profesor/a si no nos lo explica?* Podemos realizarlo una vez y luego discutir con ellos las ventajas que puede traer. (Se acostumbran a trabajar solos, lo recuerdan mejor, más sentido de equipo...).

De las actividades propuestas anteriormente, ¿cuáles te parecen más apropiadas para que los alumnos aprendan las palabras por ellos mismos?

CAPÍTULO

5.

ENSEÑAR EXPONENTES FUNCIONALES

1. ¿A qué se llama funciones?

2. ¿Qué son exponentes funcionales?

3. ¿Cuál es la diferencia entre enseñar gramática y enseñar exponentes funcionales?

4. ¿Cuáles son los criterios de selección de funciones?

5. ¿Qué hace que trates unas funciones antes que otras?

6. ¿Qué hay que tener en cuenta al enseñar exponentes funcionales?

7. ¿Cómo se enseñan los exponentes funcionales?

8. ¿Cómo se practican los exponentes funcionales?

I maginémonos la situación de una pareja extranjera que llega a una ciudad española. No saben nada del idioma. Éstas serían algunas de las necesidades básicas para empezar a comunicarse:

- Preguntar por la existencia y ubicación de ciertos servicios:

Ej.:   *¿Dónde está*   *el hotel Colón?*
        el centro de la ciudad?
        la oficina de Información y Turismo?
    ¿Dónde hay una parada de taxis?

- Informarse sobre horarios:

Ej.:   *¿A qué hora abren...?*
                cierran...?

- Reconocer el menú y saber pedir lo que quieren tomar en un bar o restaurante.

En cuanto ponemos las estructuras gramaticales dentro de una situación, éstas adquieren un cometido, una función que desempeñar. Nos sirven para expresar el mensaje. A esto lo llamamos *funciones*.

Nosotros, como profesores de segunda lengua, no enseñamos funciones, es decir, suponemos que nuestros alumnos ya saben cómo expresar un deseo, cómo identificarse, etc., lo que les falta es expresarlo en la lengua en que están aprendiendo, en este caso el español. A las expresiones que se utilizan para realizar estas funciones se las llama *exponentes funcionales*.

Ej.: Para expresar deseo: *Quiero que vengas.*
                    Me gustaría que vinieras.
                    Ojalá vengas.

Para identificarse: *Me llamo Eugenia.*
                Soy Eugenia.
                Mi nombre es Eugenia.

Relaciona las frases de la derecha con la función que realizan:

1. Invitar.   *a) Deberíamos haber reservado una mesa.*
2. Identificar.   *b) Tienes toda la razón, yo también pienso eso.*
3. Ofrecer ayuda.   *c) ¿Te apetece venir a mi casa a tomar un café?*
4. Lamentarse.   *d) ¿Te lo pongo aquí?*
5. Estar de acuerdo. *e) No, mi abrigo no es éste.*

Al mencionar estas funciones no sólo nos referimos a lo que los hablantes deben expresar sino también a lo que deben interpretar, a los comentarios o respuestas del otro interlocutor, ya que la comunicación es un proceso interactivo.

Ejemplo.:
- *Perdone, ¿sabe dónde está el hotel Colón?*
- *El hotel Colón... Ah sí: siga todo recto y la segunda bocacalle a la derecha.*
- *Perdón, ¿qué calle?*
- *La segunda a la derecha.*
- *Entonces, sigo por aquí y después giro en la segunda calle a la derecha.*
- *Eso es.*
- *Ah, muy bien. Muchas gracias.*
- *De nada, adiós.*
- *Adiós.*

La comunicación es un proceso improvisado. No sabemos al hablar lo que los demás van a responder, o a veces ni tan siquiera entendemos inmediatamente lo que quieren decir. El proceso comunicativo consiste en que ambas partes (emisor y receptor) lleguen a entender y transmitir el mensaje.

En el capítulo 6 trataremos el tema de las estructuras gramaticales. Ahora nos gustaría aclarar lo que nosotros entendemos por exponentes funcionales, estructuras gramaticales y funciones.

Exponentes funcionales:

A. *¡Hola!*
A. *¿Fuiste ayer por fin al cine?*
A. *¿Y te gustó la película?*
A. *¿Quieres ver otra "peli" esta noche?*

B. *¡Hola!*
B. *Sí, a las diez.*
B. *Sí, mucho más de lo que me esperaba.*
B. *No, lo siento, esta noche tengo que trabajar.*

Este diálogo se puede trabajar en clase según las estructuras gramaticales que contiene. Vamos a ilustrar algunas de ellas.

Estructuras gramaticales:

A. Fórmula de saludo.
A. Pretérito indefinido irregular del verbo *ir*.
A. Pretérito indefinido del verbo pronominal *Gustar*.
A. *Querer* + Infinitivo.

B. Fórmula de saludo.
B. Las horas.
B. Pretérito imperfecto y comparativo de superioridad.
B. *Tener que* + Infinitivo.

Otra manera de trabajar este diálogo es enseñar para qué se usa cada frase y trabajarlas como exponentes funcionales sin analizar las estructuras que las componen. Por ejemplo:

Funciones:

A. Saludar.

B. Responder al saludo.

A. Preguntar por la realización de una acción en el pasado.

B. Confirmar esa realización y dar información de la hora en la que se realizó.

A. Preguntar sobre la valoración de la acción.

B. Dar una valoración positiva y comparar con las expectativas.

A. Sugerir.

B. Rechazar la sugerencia, disculparse y excusarse.

De esta lista, di cuáles consideras funciones y cuáles estructuras:

1. Dar direcciones.

2. Estar + gerundio.

3. La diferencia entre "por" y "para".

4. Ofrecer ayuda.

5. Dar sugerencias.

6. El pretérito imperfecto.

Los exponentes funcionales se podrían clasificar en dos tipos:

a) Los que apenas cambian por considerarse fórmulas:

Ej.:   *Buenas tardes.*
        Mucho gusto en conocerle.
        ¡Que te lo pases bien!
        ¡Que aproveche!

b) Los que son generativos. Los podemos ampliar en varias direcciones:

Ej.: *¿Le importaría*
        ¿Puedes   *decirme dónde está el museo?*
        ¿Podría

                           está el museo?
¿Podría decirme dónde   *hay una farmacia?*
                           puedo alquilar un coche?

Si nos decidimos por enseñar la lengua española a través de funciones, se nos plantea la cuestión de cómo seleccionarlas y secuenciarlas.

Primero debemos seleccionar las funciones y después los exponentes que necesitamos para llevarlas a cabo. Esto lo podemos hacer según nuestro conocimiento de la lengua, nuestro criterio personal de importancia y las necesidades de nuestros alumnos.
Si esta selección se nos hace demasiado difícil, hay libros de texto en el mercado que ya lo han hecho por nosotros. Otra buena fuente de referencia es el trabajo realizado por el Consejo de Europa llamado el *Nivel Umbral*, del que ya hemos hecho mención en el capítulo 4.

Si tuvieras que trabajar la función de sugerir con un nivel elemental, ¿qué exponentes elegirías?

Los criterios de selección de funciones son muy parecidos a los de selección de vocabulario que vimos en el capítulo 4.

Ej.:   1. necesidad inmediata
        2. utilidad
        3. rentabilidad
        4. grado de dificultad
        5. etc.

Vuelve a consultar el capítulo sobre vocabulario. ¿Hay algún criterio que no es válido para las funciones? ¿Añadirías alguno más?

Al trabajar los exponentes funcionales no debemos olvidarnos de que, como decíamos anteriormente, la comunicación no sólo consiste en expresar lo que queremos decir, sino también en interpretar lo que los demás nos dicen, bien sea de forma oral o escrita. El hablante puede controlar y medir lo que él dice. Ej.: *Si existieran cincuenta formas para pedir perdón, quizás con aprender tres tendría suficiente para comunicarse. Pero, ¿qué ocurriría con lo que nos dijeran los demás, cómo lo podría entender?* Es difícil controlar lo que nos dicen. El criterio de selección, por este motivo, cambia. Tendremos que tener en cuenta en nuestras clases lo que les enseñamos para producir y también para interpretar.

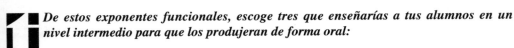

De estos exponentes funcionales, escoge tres que enseñarías a tus alumnos en un nivel intermedio para que los produjeran de forma oral:

1. Lo siento, pero se me olvidó.
2. No sabes cuánto lo siento, pero se me olvidó.
3. Me llevé un disgusto terrible cuando me di cuenta de que se me había olvidado.
4. Espero que me disculpes por mi olvido.
5. No sé cómo se me pudo olvidar. Lo siento.
6. Oye, perdóname, pero se me olvidó.
7. Quiero expresar mis más sinceras disculpas por mi imperdonable olvido.

Llegados a este punto veamos cómo podemos enseñar estos exponentes funcionales, si se enseñan igual que el vocabulario y las estructuras gramaticales o merecen una atención distinta. Para nosotros difieren en varios aspectos:

A. Los factores interpersonales tienen una influencia más decisiva. No podremos enseñar exponentes funcionales sin tenerlos constantemente en cuenta. Éstos son:

a) El paralenguaje: Los gestos, los sonidos que no son fonemas...
b) La relación entre los hablantes: familiar, amistosa, formal...
c) La situación en la que se encuentran en ese momento.
d) La actitud que tienen entre ellos: cariñosa, fría, de enfado...
e) El tema que están tratando. Ej.: Es muy distinta la forma en que pido prestados 3 euros, o 3.000, aunque todos los demás factores sean idénticos.
f) La intención con que se dice algo. Ej.: La frase *no queda café* puede ser un requerimiento para que la persona que lo esté escuchando salga a la calle a comprarlo y no un simple enunciado para indicar la inexistencia de un producto.

B. La gran mayoría de nuestros alumnos estarán acostumbrados a aprender lenguas a través de estructuras, ya que así se ha venido haciendo tradicionalmente. Supone un cambio que en principio pueden rechazar. Veamos un ejemplo de lo que suele pasar:

En un grupo de nivel elemental, intento enseñar el exponente: *Que te lo pases bien.*

Creo el contexto y lo presento. Los alumnos comprenden el significado y el uso, pero cuando intento que lo repitan para practicar la pronunciación empiezan a avasallarme con preguntas:*¿Por qué "pases" y no "pasas"? ¿qué es ese "lo"?* Nos planteamos qué hacer: si contestamos a las preguntas, nos metemos en un tema muy complicado que no era nuestro objetivo y que, por tanto, no teníamos preparado. Por otra parte, si no contestamos creamos un ambiente de frustración.

Estas situaciones se dan muy a menudo. Debemos aceptarlas y tomar decisiones individuales. No se pueden dar recetas mágicas. Dependerá de nosotros, del grupo, del tema, de la pregunta y de un montón de cosas más. Refiriéndonos de nuevo al caso anterior, una opción (que no es la única ni mejor) sería contestar a la primera pregunta diciendo que es un subjuntivo y al no ser el objetivo de la clase preferimos dejarlo para otro día, aunque, si verdaderamente están interesados, podemos preparar una clase para el día siguiente.

C. Los alumnos necesitan reglas, conectar lo que van aprendiendo, tener un armazón en el que ir enganchando las diversas piezas. Esto se puede hacer con los exponentes funcionales, pero, en principio, parece más fácil con las estructuras, ya que son más conocidas, más secuenciales y concretas. Por lo tanto, deberemos cuidar este aspecto y no permitir que enseñar funciones se convierta en un repertorio de frases como las que aparecen en las guías turísticas.

A continuación veamos un ejemplo práctico de la presentación de una función y de cómo podemos ir del exponente funcional a la estructura.

Estamos presentando la función de *lamentar algo que ya ha tenido lugar y sobre lo que no podemos hacer nada.* La situación que hemos escogido es un día en una familia a la que le ocurre una serie de accidentes caseros a causa de descuidos. Los miembros de la familia se lamentan. Algunos de los exponentes funcionales que podríamos seleccionar serían:

Debería haber apagado la plancha cuando sonó el teléfono.
Si no hubiera dejado la camisa encima del radiador, ahora no estaría quemada.
Tendría que haber fumado el cigarrillo en el cuarto de estar y no en la cama.

Algunas reacciones probables serían:

Ahora ya es demasiado tarde.
La próxima vez ten más cuidado.
Ya has aprendido la lección.
No te preocupes más, ahora ya no tiene remedio.

La forma de presentar y practicar estos exponentes (sin olvidar los factores que hemos analizado) es muy parecida a la de presentar vocabulario o estructuras.

Mira el capítulo sobre vocabulario y decide qué tipos de presentación allí expuestos puedes aplicar a las funciones.

Una posibilidad sería la siguiente: Se crea una situación a través de un vídeo, un texto, una cinta, dibujos en la pizarra, etc., y cuando el concepto ya se ha trabajado, tratamos de conseguir que los alumnos "descubran" la forma, es decir, cómo lo deberían decir en español. Para ello, haremos preguntas de este tipo:

Si lo estamos trabajando de forma oral, con dibujos, por ejemplo:

¿Qué diríais vosotros en esta situación?

Si lo estamos trabajando por escrito o con un vídeo:

¿Veis en el texto?
¿Oís en el vídeo qué palabras o expresiones utilizan para lamentarse?

En este ejemplo hemos optado por crear el concepto y luego trabajar la forma. No hay ningún inconveniente en hacerlo a la inversa.

Puede ocurrir que un alumno (o varios) diga la frase que nosotros queríamos presentar, que se acerque a ella o que la desconozca por completo. Lo importante es que les hemos dado la oportunidad de decirnos lo que saben. También puede ocurrir que conozcan uno o dos exponentes y que a nosotros nos interese trabajar alguno más en concreto. En este caso, nosotros ya habremos previsto cuál o cuáles presentar. Más adelante, se trataría de practicarlos.

¿Cómo presentarías estos dos exponentes funcionales?
¿Qué situación crearías? ¿De qué medios te servirías para aclarar el concepto?

1. ¿Te apetece salir a tomar un café?
2. Lo siento, pero tengo que trabajar.

Vuelve a mirar el capítulo 4, pero esta vez la sección de la práctica. ¿Qué actividades se te ocurre que puedes utilizar para practicar exponentes funcionales? Cuando termines, deja un espacio en blanco, quizás lo puedas rellenar con algunas de las actividades que proponemos para las estructuras gramaticales en el capítulo 6.

El capítulo siguiente está dedicado a las estructuras gramaticales. Antes de hablar de ellas y, a modo de resumen de lo tratado en este capítulo, nos gustaría hablar de algunas de las diferencias que existen entre enseñar exponentes funcionales y estructuras gramaticales.

1. Cuando se enseñan funciones, ...

se trabajan varios exponentes lingüísticos que corresponden a varias estructuras. Ej.: Para la función de dar una orden podemos utilizar, entre otras, las siguientes estructuras:

- *¿Por qué no te callas?* (presente de indicativo en forma negativa).
- *¿Te puedes callar?* (presente del verbo *poder* + infinitivo).
- *¡Cállate!* (imperativo).
- *¿Te vas a callar de una vez?* (perífrasis de *ir* + *a* + infinitivo).

Al enseñar estos exponentes, las estructuras deberían ser ya conocidas por los alumnos; de no ser así, no pueden generar otro tipo de frases que las que les estamos presentando.

Si se enseñan estructuras se trabaja solamente una o incluso parte de una estructura. Ej.: Si enseñamos un tiempo verbal, quizás optemos por no enseñar el paradigma entero, sino parte de él y centrarnos en el singular o en alguna persona en particular. Pero una estructura suele tener muchos usos funcionales. Ej.: La estructura *deber* + Infinitivo se usa para expresar varias funciones:

- *Debes tener más cuidado.* (Consejo)
- *Debes terminarlo para mañana.* (Mandato)
- *Debo tener más cuidado.* (Propósito)
- *Debéis pasar por aquí más a menudo.* (Invitación)

Como profesores, nosotros deberíamos analizar las funciones que tienen las estructuras y viceversa.

2. Cuando se enseñan funciones, ...

se ve más claramente que la forma está al servicio del significado, es decir, en primer lugar creamos en nuestros alumnos la necesidad de expresar algo y en segundo lugar les proporcionamos los exponentes funcionales para expresar eso que quieren decir.

Por ejemplo, si queremos presentar "la hipótesis", podríamos empezar preguntando: *¿Por qué no ha venido Marion a clase? Yo no lo sé ¿y vosotros? ¿tampoco?... bueno, pero lo podemos imaginar.* Los exponentes que se necesitan para expresar esa hipótesis serían del tipo: *Quizás se ha dormido; puede ser que haya perdido el tren; a lo mejor está enferma.*

muchas veces nuestros alumnos ya conocen uno de los exponentes. En el caso anterior, de las tres formas presentadas (*quizás... / puede ser que... / a lo mejor...*) puede que ya supieran expresar una hipótesis con "quizás...". Corremos el peligro de que cuando llegue el momento de la práctica, los alumnos sólo utilicen el exponente que ya conocían (a menos que insistamos constantemente en que prueben con los otros dos).

Si nuestro objetivo era que reconocieran y se familiarizaran con los nuevos exponentes sin pretender que los produjeran, podemos darnos por satisfechos. Pero si no era éste nuestro objetivo, tenemos dos opciones:

a) Aceptar que la expresión oral es importante y dejarles que sigan practicando, cambiando así nuestro objetivo inicial.

b) Cambiar de actividad y escoger otra más dirigida donde podamos controlar lo que nos interesa. Así pues, no escogeríamos una actividad como un debate donde los alumnos son libres de formular sus hipótesis como quieran, sino que buscaríamos algún ejercicio donde mecanizaran los nuevos exponentes que hemos presentado.

El capítulo siguiente está dedicado a las estructuras gramaticales. Creemos que los conceptos de funciones y exponentes funcionales quedarán más aclarados después de la lectura del mismo.

Si somos tan críticos con las programaciones funcionales se debe a que muchas personas creen que al inclinarse por esta opción ya tienen su enseñanza resuelta. Es verdad que existen en el mercado libros de texto con esta base y que son de gran claridad y calidad. Pero un libro de texto no lo es todo y los profesores deben también entender lo que los autores proponen. Si no, ahí empieza la confusión. He llegado a oír comentarios de autores que se tapaban los ojos para no ver cómo eran utilizados sus libros. También es verdad que otros profesores han mejorado su enseñanza desde que tienen libros de este tipo.

¿Cuál es tu experiencia?

CAPÍTULO

6.

ENSEÑAR GRAMÁTICA

1. ¿Qué entiendes por gramática?

2. ¿Qué entiendes por enseñar gramática?

3. ¿Crees que es necesario enseñar gramática?

4. ¿Quién enseña la gramática?

5. ¿Cuándo se enseña la gramática? ¿En qué nivel? ¿En qué momentos de la clase?

6. ¿Ves alguna diferencia entre enseñar exponentes funcionales y enseñar gramática?

7. ¿Podrías combinar la enseñanza de exponentes funcionales y gramática?

8. ¿Qué se te ocurre que se puede hacer para que la enseñanza de la gramática sea efectiva?

9. ¿Tienes ideas de cómo practicar la gramática?

La

gramática ha sido tradicionalmente el centro de la enseñanza de idiomas. Con las nuevas corrientes metodológicas ha habido, durante algún tiempo, un rechazo de las programaciones basadas en estructuras gramaticales; como consecuencia, ha habido también un rechazo o miedo a enseñar gramática, porque se la consideraba o bien anticuada o bien no comunicativa. Al prescindir de la gramática, el problema comenzaba con que la mayoría de los profesores no estaban preparados para enseñar de otra forma; a veces, aunque ellos quisieran cambiar su forma de enseñar, la programación o el libro de texto que tenían que seguir eran totalmente estructurales (Ver capítulo 11 sobre programaciones). Otras veces eran los propios alumnos los que se oponían a cualquier cambio.

Nosotros pensamos que "gramatical" no tiene por qué estar reñido con "comunicativo". Consideramos que podemos incluir la enseñanza de la gramática en nuestras clases, ya que, aunque no es imprescindible, sí que puede ser una buena ayuda para nuestros alumnos. El hecho de que haya programaciones o libros de texto basados en estructuras gramaticales presentadas sin contexto y faltas de significado, de que la práctica de estas estructuras sea en muchos casos aburrida, repetitiva y poco efectiva, no quiere decir que no se pueda hacer bien.

La inclusión o no de la gramática sigue siendo uno de los temas que más preocupan a los profesores. Queremos mostrar una carta de una profesora imaginaria que resume en un tono humorístico el sentir general.

León, a 10 de marzo 1994

Querida colega:

Con esto del enfoque comunicativo y los libros funcionales, ¿dónde meto yo la gramática? Porque está muy bien todo lo que se dice en las conferencias, pero luego entras en clase y los alumnos te la piden o mejor dicho, TE LA EXIGEN. El caso es que cada vez que doy una explicación gramatical me siento frustrada como si hubiera fallado. El problema es que no lo sé hacer de otra forma. Me gustaría saber qué hacen los demás. ¿Es posible que sus alumnos adquieran las estructuras por el simple hecho de estar expuestos a ellas en un contexto claro?; ¿cómo hacen para callar a los alumnos que te avasallan con preguntas en cuanto encuentran alguna forma gramatical desconocida para ellos? "¿Qué es, cuándo se utiliza, cómo se forma...?" ¿Cómo se les puede tranquilizar y contestar sin explicar las reglas gramaticales?

Claro que, por otra parte, me doy cuenta de que mis explicaciones gramaticales, aunque les hacen felices momentáneamente, no les ayudan. A algunos porque no conocen la gramática en su propia lengua y de nada sirve que les diga qué es un complemento indirecto o un pronombre relativo; a otros, porque, aun siendo conocedores de la gramática, no les ayuda en el momento de hablar; no pueden estar recordando siempre las reglas gramaticales. En general, porque hay tanto uso y excepciones que es casi imposible, aprendérselos de memoria. ¿Qué hacer?, Por favor, AYUDA.

Un cordial saludo.

Mª Pilar López

Ésta sería una posible contestación a la carta:

Barcelona, a 10 de marzo 1994

Querida compañera:

No sólo te comprendo muy bien, sino que comparto la mayoría de tus preocupaciones. Si te sirve de consuelo, en mi contacto diario con los profesores he apuntado éste como el problema, si no más grave, sí más extendido.

No sé por qué se ha identificado comunicativo con funcional. Muchos libros y programaciones son funcionales y NO COMUNICATIVOS. Se trata simplemente de un repertorio de frases hechas que me recuerdan a los libros de frases que se compran para ir de viaje.

Por otra parte, si es verdad que muchos de los antiguos libros basados en estructuras tenían muy poco de comunicativos, pero eso no quiere decir que no puedan existir libros que enseñen a comunicarse a través del aprendizaje de una serie de estructuras bien contextualizadas. ¿Cuál es la solución entonces? Podría ser una combinación de las dos cosas, es decir, tener un eje funcional que guíe nuestra enseñanza, salirse de él cuando una estructura determinada requiera una atención especial y luego volver a este eje. Se nos plantea otra cuestión: si enseñamos una serie de estructuras, ¿cuál es la secuencia lógica que seguir? Por supuesto, primero las estructuras gramaticales sencillas y luego las complicadas. Pero... ¿quién me dice a mí que los pronombres posesivos son más fáciles que los relativos o que el imperfecto de subjuntivo es más difícil de aprender que el pluscuamperfecto de indicativo?

O...¿Acaso los niños aprenden la lengua materna de una forma secuencial? Como ves, querida amiga, no estoy siendo muy explícita. El tema que me planteas es muy interesante y complejo, por lo que me veo incapaz de contestarlo en una breve carta. Sin embargo, no te voy a dejar sin respuesta. Te recomiendo que leas un libro que hay en el mercado, se llama "   *   *"En el capítulo 6 los autores tratan del tema de la gramática. Espero que te haga pensar y que encuentres tus propias conclusiones, ya que al fin y al cabo es lo que cuenta; eres tú la que tienes que ayudar a tus alumnos y dar la clase; tú la que tienes que estar convencida de lo que estás haciendo. Me encantaría que me volvieras a escribir y me dijeras si mi carta te ha ayudado en algo.*

Buena suerte y hasta siempre.

Encina Alonso

(*) Nota del Editor: se trata, naturalmente, de *¿Cómo ser profesor/a y querer seguir siéndolo?*

Medio en serio, medio en broma, así es como hemos percibido nosotros las inquietudes de muchos profesores con respecto a la gramática.

¿Te identificas tú con la persona que ha escrito la primera carta? ¿En qué puntos? Si no, ¿conoces a alguna persona que sí se identificaría? Si te pidiera consejo, ¿qué le dirías?

Antes de continuar con el capítulo, nos gustaría intentar definir qué es lo que nosotros entendemos por gramática o, mejor dicho, qué es lo que creemos que la mayoría de las personas entiende: "Gramática es un conjunto de reglas que permiten al hablante escoger la forma correcta de las palabras apropiadas y combinarlas en la forma adecuada".
Ej.: *Yo sienten frío pocos un de ahora*, no estaría gramaticalmente aceptado a pesar de que si tomáramos todas las palabras de una forma aislada éstas sí serían correctas.

Sabemos que muchos lingüistas no estarían de acuerdo con esta definición. Sobre todo, aquellos que abogan por una gramática pragmática. Somos conscientes de que hay más elementos esenciales que hay que tener en cuenta en el lenguaje aparte de los ya mencionados, como por ejemplo: la pronunciación, la intención con que algo se dice, la situación en la que se dice y a quién se le dice. Hay personas que incluyen estos elementos dentro de la gramática, otras no. Nosotros no deseamos entrar aquí en este debate; sólo queremos explicar que a lo largo del capítulo, cuando nos refiramos a gramática, lo haremos entendiéndola de una forma tradicional.
Otra cuestión que nos planteamos es cuál es la diferencia entre vocabulario y gramática. La conclusión a la que llegamos es que casi todas las palabras tienen atributos lexicales y gramaticales. La diferencia depende de nuestro interés en ese momento, del ángulo desde el que lo miremos. De este modo, con un cambio de enfoque, una palabra se puede convertir en una estructura gramatical y viceversa.

Pongamos un ejemplo: La palabra *gente*. La podemos enseñar como vocabulario, explicando que es lo mismo que *personas*. Sin embargo, si un alumno dice: *La gente en España son muy simpáticas* y nosotros le corregimos diciendo que *gente lleva el verbo en singular*, estamos dando una explicación gramatical, ya que estamos hablando de las reglas que una palabra tiene que seguir cuando se la incluye en un contexto.

¿Estás de acuerdo con nosotros? ¿Crees que es fácil marcar la separación entre gramática y vocabulario? ¿Podrías pensar en un buen ejemplo a favor o en contra de este argumento?

En el capítulo anterior hemos tratado el tema de las funciones del lenguaje. El término "exponente funcional" es posterior al de "estructura". Nació de una forma oficial junto al enfoque comunicativo y al trabajo de investigación y recopilación que dio lugar al *Nivel Umbral* en el Consejo de Europa. Durante un tiempo, debido a lo novedoso de esta nueva visión de la enseñanza de segundas lenguas y, como casi siempre que hay un cambio, la reacción consecuente fue el rechazo de lo anterior. Por este motivo, durante algunos años, hablar de enseñar gramática equivalía a estar anticuado.

Últimamente, exceptuando algunos métodos basados en el "Enfoque Natural", que siguen fieles a sus principios, en términos generales hay una revisión de, si no las programaciones estructurales, sí de la inclusión de la gramática como una ayuda.

La enseñanza de la gramática no tiene por qué ser un fin en sí mismo, sino que puede estar en función de un objetivo principal. Los alumnos no son gramáticos o lingüistas; se trata de enseñar la lengua en sí y no de hacer un análisis y estudios profundos sobre la misma. Se puede tener mucho conocimiento teórico y ser incapaz de comunicarse o expresar lo que se necesita en un momento determinado.

Entonces, si pensamos así, ¿por qué nos molestamos en enseñar gramática? Esto nos lleva a la siguiente pregunta que nos planteamos: ¿Qué es lo que entendemos nosotros por enseñar gramática? No creemos que tenga que ser un equivalente al profesor/a que da una serie de reglas gramaticales antes de cada tema. La gramática se puede o se debería enseñar de forma variada. Como hemos visto en el capítulo uno, cada alumno tiene una forma de aprender diferente. Por lo tanto, si variamos nuestra forma de enseñar será más fácil que ayudemos a todos los alumnos. Hemos tratado de simplificar las formas básicas que hay de enseñar gramática. Por supuesto que existen multitud de combinaciones y variaciones.

1. El profesor/a o el libro de texto da una regla gramatical y después se aplica con una serie de actividades o ejercicios.
Ej.: *La diferencia entre "muy" y "mucho" es que "muy" va seguido de adverbios y adjetivos y "mucho" va seguido de nombres o va detrás de un verbo modificando a éste. Vamos a ver unos ejemplos y luego haremos unos ejercicios para practicar...*

2. Los alumnos ven una estructura gramatical en contexto, el profesor/a intenta que los alumnos capten el concepto a través de ejemplos y luego él/ella o el libro dan la expli -

cación gramatical.

Ej.: El profesor/a tiene un dibujo de una ciudad en el retroproyector: empieza a preguntar: *¿Qué veis en el dibujo?* Y luego dice: *Hay muchos árboles, hay muchas casas, hay mucha gente, hay mucho tráfico...* y espera que los alumnos le imiten y sigan produciendo frases de este tipo. Después dice algo como: *¿Y cómo son? Los árboles son muy altos, las casas son muy grandes, la gente es muy elegante...* Después de terminar estos ejemplos, el profesor/a o el libro de texto explica la diferencia entre "muy" y "mucho" en este contexto.

3. El mismo caso que el anterior pero, al llegar el momento de explicar la regla gramatical, se intenta que los alumnos la deduzcan entre todos. El profesor/a les va guiando y ellos, en grupo o en parejas, con los ejemplos en contexto, intentan llegar a una conclusión.

4. De nuevo un caso parecido a los dos anteriores, pero esta vez la gramática se trabaja de una forma implícita y no hay ningún tipo de explicación o estudio de ella. Ni siquiera, como en el ejemplo número dos, se resaltará una forma determinada, ni se llevará la atención del alumno a una estructura especial. Se considera que la diferencia ya ha quedado clara a través del contexto y los ejemplos. No es conveniente o necesario un posterior análisis.

ti *Teniendo en cuenta los cuatro grupos que hemos hecho, ¿podrías tú ahora considerar varias formas de enseñar los pronombres posesivos?*

No pretendemos inclinarnos por ninguna manera en particular. Las cuatro combinadas pueden ser muy *efectivas*. Depende del grupo, del objetivo y del tema que se esté tratando. Sin embargo, sí creemos que cuanto más esfuerzo haya por parte del alumno, más se favorece su proceso de aprendizaje y su independencia progresiva.

No estamos en contra de la gramática. Es iluso querer prescindir de ella, está ahí. Lo que sí que es motivo de debate es cómo enseñarla: de una forma explícita o implícita, deductiva o inductiva... Veamos varias razones a favor y en contra de la enseñanza de la gramática de una forma explícita y tradicional.

10 RAZONES PARA NO ENSEÑAR GRAMÁTICA.

1. NO. No es necesario enseñar gramática. Los niños aprenden a comunicarse y a expresarse sin aprender ni una sola regla gramatical. De ahí que los métodos basados en el enfoque natural rechacen cualquier atención especial a la gramática.

10 RAZONES PARA ENSEÑAR GRAMÁTICA.

1. SÍ. La mayoría de los alumnos la pide. Creen que es imprescindible para ellos. En muchos casos es debido a que están acostumbrados a aprender con ella y la necesitan.

2. NO. Los alumnos no la conocen en sus propias lenguas. Las explicaciones gramaticales no sólo no les sirven de ayuda, sino que se pueden convertir en un obstáculo para aprender una lengua.

3. NO. El hecho de conocer la teoría no quiere decir que inmediatamente la pongamos en práctica. Por mucho solfeo que se aprenda, no quiere decir que, como resultado, se sepa tocar el piano.

4. NO. Al concentrarnos en la gramática, podemos olvidar otros componentes del lenguaje. Los alumnos producirán de este modo frases sin sentido o totalmente inapropiadas en el contexto. Les estamos enseñando a dominar la gramática, pero no a comunicarse.

5. NO. A veces son los mismos profesores los que no conocen bien la gramática de la lengua que están enseñando. No la han analizado debidamente y se dejan llevar por manuales cuyas explicaciones no son muy acertadas. Otras veces los profesores, por hacer felices momentáneamente a los alumnos, dan o inventan reglas parcialmente falsas, aun siendo conocedores de ello.

6. NO. El estudio de la gramática es aburrido.

7. NO. La sobrecarga de terminología os-

2. SÍ. Los alumnos la conocen en sus propias lenguas. Es una pena prescindir de lo que puede ser una gran ayuda. Podemos aprovechar sus conocimientos y aplicarlos a la nueva lengua que están aprendiendo.

3. SÍ. Por lo general se aprende mejor cuando los contenidos están sistematizados, graduados y explicados. Si entendemos la teoría, es mucho más fácil aplicarla después. Una buena explicación gramatical puede sacarnos de muchos apuros. Es rápido y nos puede ahorrar muchos minutos de utilizar ejemplos, mímica, dibujos... Un buen conocimiento de solfeo nos ayudará a un progreso más rápido en la práctica del piano.

4. SÍ. Si los alumnos son buenos conocedores de la gramática primero, ya habrá tiempo después para practicar frases y diálogos en contextos y aprenderán poco a poco a comunicarse.

5. SÍ. Un buen análisis de la lengua por parte del profesor/a permite una mayor sencillez y claridad en las explicaciones gramaticales e incluso muchas veces conseguimos que la gramática esté tan implícita que podemos prescindir de explicaciones porque la estamos enseñando sin que ellos se den cuenta.

6. SÍ. El estudio de la gramática no tiene por qué ser aburrido. Se puede crear una serie de actividades con las que los alumnos aprendan sin darse cuenta.

7. SÍ. El uso de la terminología se puede

curece la explicación. Los alumnos no pueden digerir cada uno de los términos que hemos empleado en la definición.

Ej.: *El pretérito perfecto expresa una acción acabada en un tiempo no terminado. Ej.: "Cuyo" es un adjetivo relativo que antecede siempre al nombre.*

reducir y utilizar sólo aquella que es imprescindible. Antes de utilizar un término gramatical nos aseguraremos de que lo conocen.

8. NO. Algunos alumnos aprenden mejor con una forma de enseñanza inductiva. Si nosotros les imponemos nuestra manera de enseñar prestando gran atención a la gramática, no estamos respetando su modo de aprendizaje particular, por lo que podemos impedir o retrasar un buen desarrollo del aprendizaje.

8. SÍ. Algunos alumnos aprenden mejor con una forma de enseñanza deductiva porque es así como han aprendido durante mucho tiempo y les da mayor seguridad. Prescindir de explicaciones gramaticales puede producir una ansiedad por parte de los alumnos. Se encuentran perdidos, necesitan puntos de referencia.

9. NO. Muchas veces al dar explicaciones largas y complicadas hay una tendencia a hacerlo en la lengua de los alumnos y no en la que se está tratando de enseñar.

9. SÍ. Las explicaciones gramaticales no tienen por qué ser largas y complicadas. Podemos simplificarlas y utilizar ayudas visuales (mímica, dibujos, diagramas...) para que sea más claro lo que estamos explicando.

10. NO. Cuando un alumno no produce la frase correcta, quizás debido a una falta de práctica o a un desliz, el profesor/a vuelve a explicar la regla gramatical. El alumno conoce la teoría y no quiere volver a escuchar la misma explicación otra vez. O bien no lo ha entendido, por lo que tendremos que buscar otra forma de explicarlo, o simplemente necesita más práctica.

10. SÍ. La corrección de errores es un buen momento para repasar o asentar la gramática. El repaso no tenemos por qué hacerlo nosotros, puede venir por parte de los alumnos y se hará de una forma variada.

¿Qué te parece plantear un debate en clase en el que los alumnos, tomando papeles ficticios, tengan que exponer sus opiniones a favor y en contra de la gramática? ¿No crees que sería interesante escuchar lo que dicen sin haberles preguntado directamente sus opiniones personales?

Hemos oído muchas veces que la gramática es más importante en la enseñanza de unas lenguas que en otras, debido a la mayor o menor complejidad de las estructuras gramaticales que estemos enseñando. Éste sería nuestro caso como profesores de español. La lengua española está llena de inflexiones, como las distintas personas de los verbos, el género, el número, los aumentativos y diminutivos... que otras lenguas no tienen.

¿Conoces alguna lengua extranjera? ¿Puedes compararla con el español y ver si estás de acuerdo con lo que decimos en el párrafo anterior? Trata de anotar algunas de las diferencias que encuentres en cuanto a dificultades de gramática. Ej.: En inglés las frases interrogativas y negativas son muy complejas al tener que recurrir a un auxiliar; en español en cambio no presentan tantos problemas. El artículo determinado en inglés es muy fácil, ya que sólo hay una forma. En español hay cinco y es difícil acordarse del género de las palabras.
Si estás trabajando con otros profesores, formad grupos en los que se hayan analizado diferentes lenguas y luego comparadlas.

Uno de los grandes problemas con los que se tienen que enfrentar los profesores es que las programaciones siempre son demasiado densas. El problema de la falta de tiempo que acucia a nuestra sociedad aparece también como una constante en nuestras clases. ¿Cuándo dedicar tiempo a la gramática? Se puede hacer de formas muy diversas. Veamos algunas posibilidades:

1. Dedicaremos a la gramática clases especiales. Les explicaremos a los alumnos que el objetivo de la clase consiste en trabajar una estructura gramatical. Esto no es un sinónimo de "rollo" y aburrimiento. Como hemos visto anteriormente, enseñar gramática no significa necesariamente dar charlas sobre algún punto gramatical. Se puede hacer de muchas formas. Diremos, sin embargo, que estamos enseñando gramática porque es nuestro objetivo. Ese día no estamos trabajando una función ni vocabulario ni pronunciación ni ninguna de las destrezas, estamos dedicando nuestro tiempo a ver una estructura gramatical.

2. Incluiremos la gramática en pequeños espacios dentro de nuestras clases, de una forma regular. Si tenemos un curso que viene a clase una vez por semana, podemos reservar sistemáticamente una parte de la sesión. Si el grupo acude tres veces por semana, se puede dedicar uno de los días al estudio de la gramática.

3. Trabajaremos la gramática de una forma no planeada. Sólo se la atenderá cuando haya una necesidad por parte del alumno. Dicho así está muy bien, pero queremos añadir que esto es peligroso si el profesor/a no tiene mucha confianza en sí mismo, bien debido a falta de experiencia o a un desconocimiento teórico. Las preguntas de los alumnos pueden ponernos nerviosos y contestar de una forma no reflexionada y confusa.

4. No enseñar la gramática nunca de forma explícita. Sin embargo, en la mayoría de las clases se practica gramática, incluso aunque no la denominemos como tal. Evitar la gramática sería no mencionar nunca términos como *masculino* o *femenino, plural, pasado...* Cada vez que corregimos "Soy cansado","cuando voy a el banco","¿Dónde hay el

banco?"..., lo hagamos de la forma que lo hagamos, estamos enseñando gramática.

Piensa en tus últimas clases como profesor/a o alumno. ¿Qué espacio tenía la gramática en tus clases?

Hemos hablado de en qué momentos podemos trabajar la gramática dentro de nuestra programación y dentro de nuestras clases. Esta pregunta puede extenderse a los distintos niveles. ¿Se dedica el mismo tiempo a la gramática en un nivel elemental que en uno avanzado? ¿Se dedica más o menos?.

Mucho es lo que se podría argumentar sobre este tema y seguramente poco se podría concluir. Ni siquiera los "entendidos" se ponen de acuerdo. Hay personas que opinan que lo mejor es ayudar a conseguir una buena base gramatical y después practicar las estructuras en contexto para así desarrollar la comunicación. Otras personas, por el contrario, opinan que lo mejor es que aprendan a comunicarse primero, trabajar una serie de funciones y estrategias, aunque lo que digan no sea tan correcto, para trabajar la precisión una vez alcanzado cierto nivel de comunicación.

También hay que pensar dónde se está aprendiendo el español. Si es en un país hispanoparlante, los alumnos tendrán unas necesidades comunicativas imperiosas porque lo tienen que utilizar "ya". En cambio, si están en su país de origen, tendrán más tiempo para aprender la gramática y más tarde practicar antes de desplazarse a un país hispanoparlante. De todas formas, quizás también estas personas quieran crear un ambiente de grupo en la clase y comunicarse entre sí en español, por lo que, del mismo modo, necesitarán estas funciones y estrategias al principio.

Se trata de que reflexionemos sobre las distintas posibilidades y escojamos la que en cada momento se adapte mejor a las circunstancias, la naturaleza del grupo, nuestras creencias y personalidad.

De nuevo no tenemos recetas mágicas. Pero no queremos cerrar el capítulo sin sugeriros un caso práctico. La parte de la gramática que hemos escogido es *El presente de subjuntivo*. Veamos a continuación una posible manera de trabajo en nuestras clases:

Primero tenemos que hacer un análisis de la lengua y descomponer el subjuntivo en funciones, es decir, para qué lo utilizamos. No es éste un libro de gramática, por lo que no vamos a hacer un estudio exhaustivo del mismo. Hay libros en el mercado que ya lo han hecho por nosotros de una forma excelente. De momento, vamos a tomar solamente como muestra alguna de estas funciones. Pongamos por caso que hemos decidido enseñarlas en este orden:

a) Deseos integrados en fórmulas sociales. Ej.: *¡Que lo paséis bien!*
¡Que te mejores!

b) Expresar complacencia. Ej.: *Lo que tú quieras.*
Cuando quieras.

Hasta aquí los alumnos han utilizado el presente de subjuntivo sin ninguna ex-

plicación gramatical. Puede ser que hayan preguntado qué era esta nueva forma y nosotros les hayamos comentado que es otro modo del verbo que se llama subjuntivo (quizás exista también en sus lenguas) y que lo iremos viendo poco a poco. Probablemente
habrán visto ya muchas funciones en las que podríamos haber incluido el subjuntivo en
algunos de los exponentes presentados, pero hemos tomado la opción de no hacerlo.

Ej.: Los consejos: *¿Por qué no lo llamas por teléfono?*
        Deberías llamarlo por teléfono.
(No les hemos enseñado: *Es mejor que lo llames*).

Ej.: La hipótesis: *A lo mejor es el cartero.*
       Podría ser el cartero.
(No les hemos enseñado: *Puede ser que sea el cartero*).

Ej.: Pedir permiso: *¿Puedo cerrar la ventana?*
        ¿Podría cerrar la ventana?
(No les hemos enseñado: *¿Le importa que cierre la ventana?*).

En un momento determinado del curso nos parece conveniente introducir el
subjuntivo. Si pensamos que, por la complejidad de la forma, los alumnos no lo van a
adquirir con facilidad, sino que es mejor que lo mecanicen y memoricen, entonces:

- Escogemos una función. Ej.: Expresar deseos.
- Montamos la situación. Ej.: Dos amigos están en un bar charlando; uno de ellos se va
a vivir al extranjero; no sabe exactamente lo que se va a encontrar porque es la primera
vez que va. En este momento él está expresando sus esperanzas y deseos a su amigo.
Hay varios exponentes funcionales para expresar deseos, pero nos centramos en la
estructura "esperar que" + subjuntivo, ya que es nuestro objetivo en este momento.

Ej.:   *Espero que no llueva mucho.*
    Espero que no haga demasiado frío.
    Espero que la gente sea simpática.
    Espero que el trabajo no esté muy lejos de casa.
    Espero que haya muchos parques.

El concepto (la expresión de un deseo), si está bien presentado, es más fácil de entender. La forma, sin embargo, es compleja: cada persona del verbo es diferente y también hay muchos verbos que son irregulares. Por ello, sacaremos la forma de su contexto y la trabajaremos por separado para integrarla posteriormente. Una vez que ya empiezan a dominar la forma, en las clases posteriores continuaremos con el resto de las funciones que se expresan con subjuntivo; entonces sí que podremos incluir exponentes funcionales donde aparezca el subjuntivo, pues ya lo pueden generar y además necesitan practicarlo.

Ej.:   Expresar sentimientos de alegría o tristeza:
         ¡Qué bien se está aquí!
         ¡Qué pena que te tengas que marchar!
         ¡Qué alegría verte!

Ej.:   Expresar opiniones:
         No creo que sea una ciudad muy bonita.
         No me parece bien que ella no pague.
         Creo que este libro me está ayudando mucho.

¿Te atreverías a hacer lo mismo con algún punto gramatical, como, por ejemplo, el futuro simple?

Para terminar el capítulo vamos a explicar una serie de actividades que podemos realizar para practicar distintas estructuras gramaticales. En todas hay un componente que intenta desviar la atención del alumno para que no se fije en la gramática en sí, aunque, por supuesto, respetaremos las expectativas o intenciones diferentes de los alumnos.

Estas actividades que explicamos a continuación son ejemplos. Se pueden adaptar perfectamente a otras estructuras. Nos gustaría que después de leer cada actividad pensaras en otra estructura a la que se la pudieras aplicar.

1. EL PRESENTE DEL VERBO GUSTAR
Un cuestionario para averiguar lo que les gusta y no les gusta a los alumnos.

- El profesor/a dibuja un esquema en la pizarra con dos cosas que le gustan y dos que no le gustan, comentando con la estructura "A mí me gusta..,".
- Pregunta a los alumnos para ver si comparten los mismos gustos.
Ej.: *Joseph, ¿a ti te gusta leer?...*
Mientras van dando las respuestas, se crea un código entre todos. Por ejemplo:

++	ME GUSTA MUCHO
+	SÍ
+/-	REGULAR
-	NO
--	NO ME GUSTA NADA

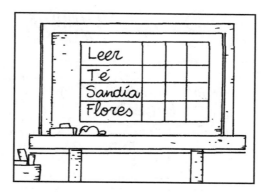

El cuadro resultaría algo así:

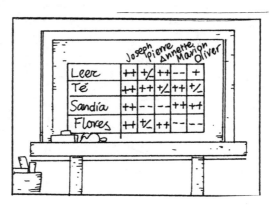

Ahora es el turno de los alumnos. Todos dibujan su propio esquema con dos cosas que les gustan y dos que no les gustan. Escogen a tres personas del grupo, se levantan y hacen las preguntas hasta rellenar el cuestionario. Una vez hayan concluido, se sientan y cuentan sus resultados al grupo para terminar confeccionando una estadística de la clase y sus gustos. De esta forma se pueden practicar todas las diferentes personas.

2. LAS PREPOSICIONES POR Y PARA
Una serie de dibujos que forman una historieta.

Estos dibujos son mostrados uno a uno en el retroproyector a toda la clase. En la conversación mantenida por los dos personajes abundan las frases que incluyen estas dos preposiciones. En el lugar de la preposición hay un espacio en blanco, que los alumnos, a ser posible en grupos de tres, pueden rellenar. Después se les da tiempo para que lo discutan entre ellos y lo comparen con otro grupo. La última parte de la actividad consistiría en volver a proyectar los dibujos y esta vez lo corregimos y discutimos todos juntos.

... ¿ POR o PARA ?

... quiero darte las gracias [1] el regalo y [2] la cena.

De nada... me gusta cocinar. Oye, ¿salimos a la calle [3] tomar un poco de aire fresco?

DAN UN PASEO ROMÁNTICO [4] EL PARQUE...

Entonces... mañana [5] la tarde te vas a Irlanda

Sí, tengo que ir [6] motivos de trabajo. También será bueno [7] practicar inglés. ¿Sabes? El viaje me sale sólo [8] 50.000 ptas.

ENTRAN EN UN BAR QUE ESTÁ [9] EL CENTRO DE LA CIUDAD...

¡No empieces tú también! Mira, esto es [11] ti. Son las llaves de mi casa, [12] que me riegues las plantas, [13] favor.

No deberías fumar tanto. No es bueno [10] la salud

¿De verdad que puede ir a 200 Km. [15] hora? [16] mí, eso es demasiado rápido... A ver, [17] ejemplo, [18] ir de Barcelona a Madrid sin pasar [19] el centro de Zaragoza, ¿Cuánto tardarías?

SUBEN AL COCHE DE JAIME, UN DEPORTIVO [14] DOS PERSONAS...

Hombre, no sé. ¡Depende! ¡Qué cosas me preguntas!... Oye, tu casa es [20] aquí ¿no?

Jaime, ha sido una noche preciosa

Sí... [21] mí también

3. EL USO DESCRIPTIVO DEL IMPERFECTO
Una serie de dibujos de los que se tiene que escoger uno.

Colocamos 6 dibujos en la pizarra que tengan muchas similitudes entre sí. Les decimos a los alumnos que las fotos corresponden a seis momentos diferentes en los que se estaba posando para una fotografía. Sólo uno de esos momentos llegó a convertirse en foto.

Tienen que escuchar un texto, bien leído por el profesor/a o grabado en una casete e identificar cuál es la fotografía real. Una vez que hayan realizado esta tarea pueden continuar practicando. Ahora cada alumno escoge mentalmente una fotografía, su compañero tiene que adivinar cuál ha escogido haciendo preguntas del tipo: ¿Estaba sentada? ¿Llevaba una falda larga? ¿Había un florero redondo a su izquierda? La persona que ha elegido el dibujo sólo puede responder sí o no.

4. LA DIFERENCIA ENTRE ES/ESTÁ/HAY
Un juego de memoria.

Se les muestra un dibujo durante 2 minutos y luego, en parejas, tienen que escribir cuantas más frases posibles conteniendo estas tres formas verbales para describir el dibujo. Gana la pareja que haya escrito más frases correctas en un espacio de cinco minutos. Pueden ayudarse con diccionarios si necesitan alguna palabra de vocabulario que no conozcan o recuerden.

5. REPASO DE PRESENTES
Un juego en el que tienen que adivinar una profesión.

El profesor/a piensa en una profesión (ej.: jardinero) y los alumnos tienen que adivinar-la formulando preguntas de este tipo:

Al.: *¿Trabajas en una oficina?*
P.: *No.*
Al.: *¿Llevas uniforme?*
P.: *No.*
Al.: *¿Ganas mucho dinero?*
P.: *No.*
Al.: *Etc.*

Después continúan los alumnos y el profesor/a escucha y corrige o forma parte del grupo como uno más.

6. CONSTRUCCIONES DE FRASES
Un rompecabezas de frases.

El profesor/a escribe en cartulinas frases que deberían ser conocidas por los alumnos, ya que han trabajado algunas similares. Estas frases no deben ser demasiado fáciles, porque entonces resultaría aburrido, ni demasiado difíciles, porque entonces resultaría frustrante. Una vez escritas, se recortan y se mezclan. Los alumnos, en grupos, tienen que volverlas a reconstruir.
Ej.: tuviera / fuimos / regalado / alemán / exposición / me / ver / ayer / si / un / tiempo / de / disco / Miró / aprendería / clásica / a / han / música / una / de.

 Aquí hay tres frases ¿Podrías tú reconstruirlas?

7. PRÁCTICA DE TIEMPOS DEL PASADO
Una historia inventada.

Los alumnos van inventando una historia. Cada uno tiene que improvisar una frase que se relacione con lo dicho anteriormente.

Ej.:   *P.: Cuando abrió la puerta...*
   Marie Claire: vio que había un cuerpo en el suelo...
   Rose: corrió escaleras abajo y...
   Erich: buscó un teléfono.
   etc.

La historia no está preparada, no hay guión. El profesor/a sólo proporciona el comienzo. El resto depende de la imaginación de los alumnos. Lo importante es que se tienen que escuchar unos a otros y construir la historia entre todos. Una posibilidad en el transcurso de esta actividad es que el profesor/a corrija sólo aquello que está impidiendo la comunicación, que anote los errores para posteriormente trabajarlos todos juntos. Se puede terminar intentando recordar la historia lo más exactamente posible y ponerla por escrito, o bien grabarla, dándoles a los alumnos la oportunidad de autocorregirse.

León, a 13 de octubre 1994

Querida colega:

Espero que te acuerdes de mí, pues hace tiempo que te escribí. Gracias por contestar a mi carta, ya que me imagino que estás muy ocupada.

Compré y leí el libro que me recomendaste. Debo decir que, aunque me gustó, no estoy de acuerdo con todo lo que dicen los autores.

Me voy a referir en concreto al capítulo de la gramática, que era el problema que más me preocupaba.

En primer lugar, no me gustan las definiciones que dan de gramática ni la consideración que hacen de la misma. Después, me parecían muy confusas las referencias a exponentes funcionales y funciones, aunque sí que es verdad que, al leer el capítulo número 5, me aclaré bastante.

Por último, daba la impresión de que inclinaban la balanza donde les interesaba, en cada momento con sus argumentos a favor y en contra.

De todas formas, me ha ayudado mucho. Por una parte, me siento mejor ahora, al saber que no soy la única persona con esta preocupación y, por otra, porque me ha hecho reflexionar sobre temas en los que no había pensado antes. Me siento más segura de mí misma. Ahora voy a dejarme llevar por mi intuición y por lo que mis alumnos indirectamente me piden con su forma de aprender. Echaré mano de la gramática cuando la necesitemos, pero, eso sí, siempre utilizada de una forma variada, amena y contextualizada.

Muchas gracias. Espero que sigamos en contacto. Hasta entonces, un saludo muy afectuoso.

Mª Pili López

CAPÍTULO

ENSEÑAR PRONUNCIACIÓN

1. ¿Cuál es nuestro objetivo y el de nuestros alumnos con respecto a la pronunciación?

2. ¿Existen mejores o peores acentos en los profesores?

3. ¿Cuáles son las causas de que nuestros alumnos tengan problemas con la pronunciación?

4. ¿Qué consideramos pronunciación?

5. ¿Qué pasos hemos de dar para ayudar a nuestros alumnos con la pronunciación?

6. ¿Qué actividades hacemos para trabajar la pronunciación?

7. ¿En qué niveles tiene más importancia la pronunciación?

8. ¿En qué momentos de la clase se trabaja?

El

tratamiento de la pronunciación en nuestras clases dependerá de los objetivos y de la importancia que le demos. Sobre este tema hay varias opiniones.

ENSEÑAR PRONUNCIACIÓN

1. La pronunciación es la base para aprender un idioma. Es lo más importante, de donde tenemos que partir; si no, los alumnos cogen vicios.
2. La pronunciación debe parecerse lo más posible a la de un nativo, según la lengua estándar.
3. Lo único que queremos es que en el período en el que estén con nosotros mejoren su pronunciación.
4. La pronunciación es importante sólo cuando rompe la comunicación.
5. Nuestros alumnos deben ser conscientes de sus problemas de pronunciación y nosotros debemos ayudarlos a ello.
6. La pronunciación no es lo más importante al principio, ya que tienen otras cosas más urgentes que aprender.

En caso de que nuestro objetivo fuera el primero, sería bueno que nos plantearamos las siguientes preguntas:

a) ¿Cuál es la pronunciación perfecta para nosotros?

b) ¿Cómo pronunciamos nosotros?

c) ¿Tenemos la misma pronunciación en clase con nuestros alumnos que en casa con nuestros amigos?

d) ¿Existe una buena y una mala pronunciación entre los nativos? Si pensamos que sí, ¿en qué reside?

Hasta este momento hemos hablado de nosotros, los profesores, pero también debemos hablar de los objetivos de nuestros alumnos.
a) ¿Para qué están aprendiendo español? ¿Van a tener que hablar más que interpretar o escribir? Si es así, ¿con quién?
b) ¿Cuál es su objetivo personal sobre la pronunciación? ¿Les importa mucho pronunciar como los nativos o simplemente quieren que se les entienda?
c) ¿Cuál es la modalidad de español que más les agrada?
d) ¿Tienen problemas para entender el español? ¿En qué consisten?
e) ¿Por qué a veces no entienden nuestros alumnos cuando conocen todas las palabras que utiliza el otro interlocutor?

Si estás enseñando actualmente, ¿qué te parece pasarles este cuestionario a tus alumnos?

Por supuesto que el profesor/a debe respetar los objetivos de los alumnos, pero también puede sugerir una nueva perspectiva en una dirección totalmente distinta. Si algún alumno dice que la pronunciación no le interesa nada y, sin embargo, tiene problemas para ser entendido y él no se da cuenta, realizaremos alguna actividad en la que le grabemos para que al escucharse a sí mismo vea que es imposible entenderlo. O, en caso contrario, si algún alumno se niega a hablar porque se encuentra ridículo debido a su pronunciación, intentaremos decir algo en su lengua y le preguntaremos qué siente cuando escucha a extranjeros hablando ésta con un acento muy marcado, e intentar que se dé cuenta de que, a pesar de su acento, se comunica con los demás.

¿Puedes pensar en algún otro caso y en alguna posible solución?

Así como en la enseñanza de otras lenguas, como por ejemplo el inglés, la pronunciación tiene prioridad, en la enseñanza del español como segunda lengua, nosotros creemos que es una de las asignaturas pendientes.
Vemos varias posibles razones:

1. Quizás la mayoría de los hablantes de español no estamos tan acostumbrados a oír hablar a extranjeros como lo están otras nacionalidades con un índice superior de emigrantes.
2. La aceptación de variedades dialectales es mucho más amplia que en otros países y pocas veces una variedad regional es una marca social.
3. Hay una constancia en la representación escrita de la pronunciación, es decir, si **c** + **a** = /ka/ y **c** + **e** = /θ/, esto será invariable. Los fonemas y los grafemas son similares.
4. Los libros de texto (salvo contadas excepciones) le prestan poca atención.
5. Hay una falta de material en el mercado sobre este tema.
6. Es un aprendizaje a corto plazo; no se ve el fruto inmediato, por lo que, en ocasiones, nos parece un tiempo perdido que se podría utilizar para trabajar otros contenidos como, por ejemplo, vocabulario.

Cada alumno tiene unos problemas individuales con la pronunciación. Es verdad que alumnos de la misma nacionalidad tienden a tener problemas parecidos.
Ej.:   Los alumnos de habla francesa con el fonema /r/.
         Los alumnos filipinos al no distinguir la /f/ y la /p/.

Éstas son algunas de las razones por las que los alumnos pueden tener problemas de pronunciación:

- Los alumnos no tienen esos sonidos como fonemas en sus lenguas.
- En sus lenguas, dos fonemas del español son intercambiables. Ej.: En japonés los fonemas /l/ y /r/.

- Utilizan sonidos que son similares porque no pueden oír la diferencia entre el sonido que ya conocen y el nuevo en la lengua española, ya que los rasgos son distintos en una y en otra lengua.

- Los alumnos están "acostumbrados" a emitir un sonido. Los órganos bucales están preparados para esa producción. Es algo automático y les cuesta volver a aprender otras posiciones para producir sonidos nuevos.

Sin embargo, estas generalizaciones no siempre se cumplen y muchas veces alumnos de la misma nacionalidad tienen problemas muy diferentes que tenemos que tratar individualmente.

Enumera tres fonemas que creas más difíciles de realizar por alumnos extranjeros.

Antes de continuar, nos gustaría puntualizar que cuando hablamos de pronunciación diferenciamos dos niveles:

- producir
- reconocer

No sólo se trata de pronunciar, sino también de reconocer lo que pronuncian los demás. Muchas veces, cuando los alumnos no entienden, no es por desconocimiento de las estructuras o del vocabulario, sino porque no reconocen los sonidos. ¿Quién no ha dicho/oído: *"No, si yo escrito lo entiendo, es cuando lo oigo que me pierdo"* o en caso de no entender una frase o palabra, preguntar cómo se escribe y luego exclamar: *"¡Ahh... eso! No te había entendido"*?

Para un mejor análisis de la pronunciación y las diversas actividades para su práctica podríamos dividirla en:

A. Fonología
B. Acento
C. Entonación

A. FONOLOGÍA

1. Sonidos simples.

Cuando un alumno no puede emitir un sonido, lo primero que debemos preguntarnos es el porqué. Es inútil que nosotros lo repitamos y que hagamos al alumno repetirlo con nosotros; si no lo puede producir, ser el centro de atención le causará una tensión y frustración que le será difícil de olvidar. Es muy posible que coja miedo o repulsa a ese sonido. Veamos los pasos que podemos seguir para ayudarlo:

a) Quizás no lo pronuncien porque no lo pueden reconocer. Les suena igual que otro fonema que ellos ya conocen y éste es el que producen.

Para saber si ésta es la causa del problema, podemos realizar unos ejercicios

que se llaman de "parejas mínimas". Se trata de construir parejas de palabras en las que el cambio de significado reside, exclusivamente, en un fonema diferente.
Ej.:

1	2		1	2
moro	morro		mesa	misa
pero	perro		tela	tila
caro	carro		velo	vilo

El ejercicio consiste en pronunciar una de las dos palabras y pedir a los alumnos que identifiquen a qué columna pertenece según lo que han oído.

Otro ejercicio es hacer un dictado en el que los alumnos tengan que levantar la mano cada vez que oigan el sonido que estamos tratando que reconozcan. Veamos una posible frase del dictado: *El perro pequeño del escaparate es más caro que el grande.* En este caso trabajaríamos la /r/.

b) Si después de estos ejercicios nos damos cuenta de que el problema no reside en reconocer el sonido sino en producirlo, tendremos que pasar a la etapa siguiente. Quizás el problema esté en que no saben el lugar o modo de articulación. Ej.: Un alumno de habla inglesa tendrá siempre la tendencia a pronunciar sus /t/ o /d/ alveolares, porque es así como se pronuncian en su idioma. Les enseñaremos que en español son dentales y que lo que deben hacer es llevar la lengua hacia delante hasta que se toquen los dientes.

Ayudaremos a nuestros alumnos a conseguir una correcta colocación de los órganos bucales para pronunciar los sonidos, con la ayuda de dibujos u otros recursos como el de utilizar espejos para que vean la posición de sus labios, o trocitos de papel que se quedan pegados en el lugar donde se debe poner la lengua.

¿Puedes pensar en otros dos ejemplos en que el problema sea el lugar de articulación?

c) En ocasiones, aun reconociendo el sonido y sabiendo su lugar y modo de articulación, los alumnos son incapaces de producir un sonido concreto. En este caso el trabajo es más costoso. Necesitan otro tipo de ejercicios, pero ¿cuáles? Una gran ayuda son los libros escritos para niños cuya primera lengua es el español y que tienen problemas de pronunciación como la dislalia. Muchos de los ejercicios utilizados por logopedas y diseñados para niños con problemas de habla pueden aplicarse a la enseñanza del español para extranjeros.
Ej.: La secuencia repetitiva /d/ /t/ /l/ /r/ puede ayudarles a la producción de la /r/. Primero, comienzan repitiendo la /d/ varias veces, luego la /d/ seguida de /t/: dtdtdtdtdt... . Más tarde añaden la /l/: dtldtldtl... . De esta manera van preparando el músculo que hace falta para la producción de /r/, aprenden dónde se produce el sonido y empiezan a "enrollar" la lengua.

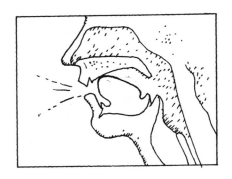

2. Grupos de sonidos.

a) Empecemos por los diptongos y triptongos.

Es posible que los alumnos tengan el mismo problema que con los sonidos simples, es decir, dificultad en reconocerlos. Ej.: La diferencia entre /ai/ y /ei/. De nuevo aplicaremos el ejercicio, ya mencionado, de parejas mínimas.

1   2

laváis / lavéis

jugáis / juguéis

pasáis / paséis

Otro ejercicio consiste en que el profesor/a pronuncia una serie de palabras que contienen diferentes diptongos. Los alumnos las tienen que colocar en las columnas correspondientes.

/ai/	/ei/	/au/	/eu/

Las palabras son: veinte, baile, causa, pausa, peine, paséis, eufórico, laváis, terapeuta, treinta.

Los problemas que los alumnos suelen tener son pronunciar una vocal más larga que la otra y/o acentuar una de ellas demasiado. Deberemos hacer ejercicios para solucionar estos problemas.

No debemos olvidar los enlaces de sonidos que provocan diptongos o triptongos.

Ej.:   *Se __fue-a-Eu__ropa*

             Nad__ie-oi__rá

             La mes__a-y__ la silla

             Escrib__í-a-I__gnacio

Cuando hagamos ejercicios para practicar los diptongos y triptongos deberemos incluir ejemplos de este tipo.

b) En los grupos de sonidos están incluidos también los grupos consonánticos como /pl/, /tr/, /br/, etc. Un buen ejercicio para practicar es incluir provisionalmente una vocal. Ej.: *tara*, si repetimos esta secuencia de una forma rápida se acaba por omitir esta vocal: *tarataratarataratratratra*.

Al trabajar la pronunciación en clase, tenemos que tener cuidado de no concentrarnos en palabras aisladas. La pronunciación de las palabras depende de su contacto con otras dentro de una frase. Si queremos que nuestros alumnos produzcan y reconozcan un español real debemos practicar estas secuencias en un contexto y ver los cambios que se producen.

Ej.: *Le he encontrado*   /lenkon´trado/   *Va a América*   /ba´merika/

B. ACENTO

Es importante trabajar el acento por varias razones:
1. Es fonológico, es decir, su incorrecta utilización cambia el significado de la palabra. Ej.: *Límite / limité; práctica / practica; lavo / lavó.*

2. Hay muchas palabras en otros idiomas, sobre todo con raíces latinas y griegas, que son muy parecidas en español y la diferencia principal reside en el acento. Ej.: *The capital* (en inglés) y *el capital* (en español)
   Informal (en inglés) e *informal* (en español)
   Video (en francés) y *vídeo* (en español)

El conocimiento del acento ortográfico puede ayudar a nuestros alumnos a saber cómo se pronuncian las palabras. El acento en español está basado en la división silábica de las palabras, por lo que, si queremos trabajarlo, tendremos que empezar por hacer ejercicios en los que los alumnos aprendan a separar sílabas. Después enseñarles las reglas ortográficas y practicarlas. Con ejercicios de lectura, los alumnos empezarán a ser independientes y a averiguar dónde se acentúan las palabras aunque no las conozcan.

A continuación proponemos algunas ayudas para trabajar la acentuación:

a) Al realizar ejercicios de mecanización, cuando estamos pronunciando y repitiendo las nuevas palabras con nuestros alumnos nos ayudaremos con gestos o con ayudas sonoras (palmas, golpes en la mesa, etc.) para resaltar dónde está el acento.

b) Regletas de madera (ver capítulo 2).
Al ser de colores y distintos tamaños, ayudan a la memorización visual. Se escriben frases en la pizarra y se pegan las regletas encima de las sílabas acentuadas. En caso de no disponer de estas regletas de colores, siempre se pueden sustituir por trozos de cartulina de colores.

c) Con vocabulario ya presentado, realizar pequeñas competiciones en las que tienen que relacionar los dibujos con las palabras. Ej.: Los círculos grandes representan las sílabas acentuadas. Pregunta: *¿Qué frutas son éstas?*

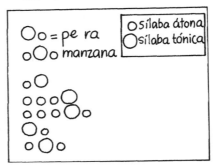

Posible solución: melón / melocotón / albaricoque / fresa / naranja.

d) Un dictado de palabras. Los alumnos colocan estas palabras en distintas columnas de acuerdo con la acentuación.

(-)´--	(-)-´-	--´

Las palabras son: difícil, manzanas, carácter, árboles, tranquilo, corazón, ánimo, catedral y mágico.

e) Construcción de poemas. Primero se escribe una serie de palabras en la pizarra. Ej.: *razón, rosa, débiles*. Los alumnos tienen que buscar dos palabras que rimen con las que hemos escrito en la pizarra: Ej.: *corazón, tropezón, curiosa, cosa, inútiles, fáciles*, y construir un pequeño poema. Al recitarlo nos concentraremos en el acento.

C. ENTONACIÓN

La importancia de la entonación radica en una cuestión comunicativa. Con una entonación equivocada el mensaje puede ser malentendido. Quizás todo lo demás sea correcto y, sin embargo, no expresamos el contenido deseado. También puede causar problemas sociales ofreciendo una imagen falsa de nuestra personalidad o estado de ánimo.

No vamos a hacer aquí un análisis de la entonación en español, ya que no es nuestro objetivo. Hay otros libros en el mercado que tratan este tema. Nosotros nos queremos ocupar de algunas actividades que podemos realizar en clase para ayudar a nuestros alumnos con la entonación.

1. De nuevo, en los ejercicios de mecanización nos ayudamos con el movimiento de las manos para mostrar si la entonación es ascendente o descendente. Este gesto se convierte en un código con nuestros alumnos, y a la hora de la corrección sólo tenemos que realizar el gesto para que se autocorrijan.

2. Un diálogo grabado. Los alumnos escuchan y repiten el diálogo línea por línea. El objetivo es exclusivamente la entonación, por lo que nos aseguraremos de que la comprensión del texto ha tenido lugar anteriormente. Es mejor que el diálogo esté grabado (aunque seamos nosotros mismos), porque de esta forma, aun poniendo varias veces la cinta, la entonación permanecerá invariable, mientras que, si lo hacemos de viva voz, es muy posible que empecemos a deformar la entonación y a hacerla artificial.

3. Diálogos con distintos personajes de distintos caracteres o estados de ánimo.
Ej.:   A: Muy contento y de buen humor.   B: Maleducado y de mal humor.

A: *¡Hola! ¿Qué tal?*
B: *¡Hola!*
A: *¿Quieres tomar algo?*
B: *Bueno.*
A: *¿Qué prefieres: cerveza o coca - cola?*
B: *Me da igual.*

Luego se pueden intercambiar los papeles y A es el que está de mal humor y al revés. El objetivo es que los alumnos se den cuenta del cambio que hay de entonación.

4. Un diálogo grabado varias veces con entonaciones totalmente diferentes.
Ej.:   A: *¿Qué haces aquí?*
            B: *Estaba esperándote.*
            A: *Y ¿por qué no te has sentado?*
            B: *Quería verte venir.*
            A: *¡Qué cosas tienes... !*

Se pone la primera vez y se pregunta a los alumnos:

- ¿Dónde están?
- ¿Qué relación hay entre ellos?
- ¿Qué ha pasado antes?
- ¿Qué va a pasar inmediatamente después?

Al ofrecer la segunda versión se hacen las mismas preguntas; ahora, con idénticas palabras y distinta entonación, vemos que el resultado es totalmente distinto.

El tema que nos queda por tratar es cuándo debemos realizar estas actividades dentro de la programación.

En primer lugar, al planificar nuestras clases, reservaremos pequeños espacios en los que nuestro objetivo principal sea la pronunciación. Al comenzar el curso hablaremos con nuestros alumnos sobre la importancia que la pronunciación tiene para ellos y nosotros. Analizaremos cuáles son sus necesidades, expectativas y problemas; según el resultado, diseñaremos una serie de actividades progresivas para la consecución de los objetivos marcados. Es posible que cada alumno tenga un problema distinto; una de las soluciones es enseñarles y/o distribuirles ejercicios diferentes y animarles a que los realicen en casa. No queremos que un alumno con un problema determinado sea el centro de atención durante demasiado tiempo. Si el problema es más general, lo trabajaremos todos juntos.

En segundo lugar, trabajaremos la pronunciación cuando se necesite, de una forma espontánea, siempre que no desvíe a la clase del objetivo principal que tenía. Muchas de las actividades que hemos propuesto se pueden improvisar. No necesitamos un material especial para ellas y podemos atenderlas según se vayan creando las necesidades.

Respecto a los niveles, son muy pocos los profesores y métodos que se pongan de acuerdo. Hay algunos que piensan que hay que comenzar con el trabajo de pronunciación desde el primer curso e insistir en que pronuncien bien antes de seguir avanzando. De no ser así cogen vicios que luego es casi imposible corregir. Otras opiniones difieren y piensan que lo más importante, al principio, es que sean capaces de comunicarse y que tienen tanto trabajo intentando aprender otros temas, como palabras o reglas gramaticales, que es mejor que se olviden de la pronunciación por el momento y aceptar su pronunciación mientras la comunicación no se rompa.

¿Con cuál estás más de acuerdo?

CAPÍTULO

LAS DESTREZAS INTERPRETATIVAS

1. ¿Cuáles son las dificultades con las que nos encontramos al escuchar o leer en una segunda lengua?

2. ¿Cómo reaccionas cuando te enfrentas a un texto en una segunda lengua?

3. ¿Cuáles son, en tu opinión, los factores que influyen en la comprensión?

4. ¿Qué pasos crees que debes seguir en clase para ayudar a tus alumnos a interpretar un texto?

5. ¿Qué criterios sigues en la elección de un texto?

6. ¿Cómo se puede motivar a los alumnos para que quieran interpretar textos?

7. ¿Qué haces con todo el vocabulario que los alumnos no conocen al trabajar un texto?

8. ¿En qué difiere para ti la interpretación de los siguientes textos:
- instrucciones para manejar un ordenador
- la cartelera de cines de un periódico
- una canción
- una noticia sobre un accidente aéreo?

9. ¿En qué se diferencian la comprensión escrita y la comprensión auditiva?

10. ¿De qué recursos dispones para llevar a cabo ejercicios de comprensión auditiva en el aula?

La comprensión escrita y la auditiva son muchas veces denominadas destrezas receptivas o pasivas. Estos términos parecen indicar que la mente no realiza ningún trabajo; sin embargo, el que escucha o el que lee está efectuando una serie de procesos mentales que le permiten comprender e interpretar el mensaje. Por esta razón, nosotros, como autores, preferimos llamar a la comprensión escrita y a la auditiva destrezas interpretativas.

Todos los textos se pueden trabajar con un objetivo lingüístico, es decir, utilizarse para presentar o practicar lenguaje: bien sea pronunciación, ortografía, vocabulario, estructuras gramaticales o funciones. Pero también los textos pueden ser trabajados sin ninguno de estos objetivos lingüísticos, sino con un objetivo de comprensión y, de forma indirecta, de adquisición del lenguaje. La gran diferencia entre adquisición y aprendizaje es que, mientras la primera tiene lugar de una forma natural, como lo hacen los niños con su lengua materna (sin estudiar), el segundo se realiza de una forma consciente a través del estudio. Hay métodos que se inclinan por favorecer más la adquisición que el aprendizaje, y viceversa. Nosotros pensamos que se pueden efectuar paralelamente.

Para llevar a cabo la interpretación de un texto, el alumno debe poseer una serie de destrezas interpretativas. Éstas se adquieren con la primera lengua, por lo que, al aprender una segunda, ya no parten de cero, sino que se trata de desarrollarlas, adaptarlas y aplicarlas a la nueva lengua. Nuestro cometido es ayudarlos en esta tarea.

¿Qué tipo de problemas te parece a ti que tienen un alumno que aprende español y un niño que lee en su lengua materna al enfrentarse a un texto por primera vez?

Antes de seguir adelante queremos puntualizar que al analizar las dos destrezas interpretativas: la comprensión escrita y la comprensión auditiva conjuntamente, por razones prácticas, vamos a utilizar siempre el término *texto*, tanto si hablamos de una actividad dedicada a la lectura como de una audición.

En la interpretación de un texto hay una serie de factores que inciden y que debemos tener en cuenta. Los hemos llamado atributos:

A: Atributos del texto.
- Grado de familiaridad con:
    - El alfabeto o pronunciación (completamente diferentes en casos como el japonés y el español, por ejemplo).
    - Las marcas del discurso: puntuación, distribución de párrafos... (por ejemplo, el árabe, donde la escritura y lectura se realizan de derecha a izquierda).

- Conciencia de la redundancia. Los textos, normalmente, insisten varias veces sobre una misma idea o se desarrollan de manera que se facilita la comprensión. Si no existe "bloqueo" por parte del oyente/lector, el propio texto nos puede resolver una aparente duda.

B: Atributos del oyente o lector.
- Conocimiento del mundo. Cuando abrimos un periódico sabemos de antemano qué tipo de información nos podemos encontrar; cuando entramos en una tienda, podemos predecir qué tipo de preguntas nos pueden hacer.
- Conocimiento del tema: político, científico, social...
- Familiaridad con el tipo de texto: periodístico, informativo...
- Maestría en las destrezas lingüísticas: predicción, deducción, selección...

C. Atributos de la situación del intérprete.
- Motivación.
- Interferencia de otras lenguas.
- *Feedback.*
- Acceso a ayudas: diccionario, profesor, libros de consulta...
- Finalidad, es decir, para qué está escuchando o leyendo.

Si queremos ayudar a nuestros alumnos en la interpretación de textos debemos: primero, elegir el texto adecuado, y segundo, trabajarlo de una forma conveniente. Iremos viendo los pasos que se necesitan:

ELECCIÓN DEL TEXTO
Es importante averiguar los temas que interesan a nuestros alumnos. Los textos pueden ser elegidos entre todos; los alumnos entregan al profesor/a una lista con los textos que quieren leer o escuchar, para que el profesor/a los prepare y, posteriormente, sean trabajados en clase.

Confecciona un pequeño cuestionario que te sirva para descubrir los temas que les interesan a tus alumnos.

Procuraremos también que los tipos de textos sean familiares: estilos y temas a los que los alumnos estén acostumbrados. Si no es posible, porque pertenecen a una cultura muy diferente a la nuestra, habrá que familiarizarlos primero con el tipo de texto.
La elección de material auténtico: folletos turísticos, revistas, programas de radio, etc., es siempre aconsejable. Los estamos preparando para que se integren en la vida real. Al constar estos textos de un lenguaje que no está manipulado, se enfrentan desde el principio con algo auténtico. Nuestro objetivo será que se familiaricen con este lenguaje y que le pierdan miedo. Se pueden combinar en clase textos auténticos con textos preparados por el propio profesor/a o extraídos de libros de texto. Utilizaremos más los textos preparados cuando tengamos un objetivo lingüístico, cuando queramos introducir o practicar una estructura gramatical, una función lingüística o vocabulario. De esta forma, al estar manipulados, podemos incluir el contenido que nos interese, que ya conozcan, para dirigir la atención al nuevo punto que queremos presentar o a algo que queremos practicar. Los textos auténticos son más recomendables cuando nuestro objetivo es ayudarlos a desarrollar las destrezas interpretativas.

¿Cuáles crees tú que son las ventajas e inconvenientes de usar material auténtico?

Los profesores y los alumnos disponemos de una gran variedad de fuentes para escoger **textos escritos.** Podríamos agruparlas en tres grandes bloques:

1. Textos auténticos.
Los mismos que un nativo podría leer:
- literatura: prosa, poesía, cuentos, leyendas...
- periódicos: anuncios, artículos, cartelera de televisión, titulares, horóscopos...
- instrucciones (sobre cualquier aparato: televisión, vídeo, juego...)
- recetas de cocina
- guía de teléfonos
- folletos informativos
- comics
- postales y cartas
- libros de texto usados por nativos para aprender otras materias
- revistas: científicas, del corazón, diseño, moda...
- etc.

¿Qué tipo de textos crees que lee con más frecuencia un nativo en la vida real?

2. Libros de texto.
A veces el libro que estamos utilizando dispone de un buen repertorio de textos, utilizados no sólo para la presentación del nuevo lenguaje, sino también para la ejercitación de la comprensión escrita o auditiva. De no ser así, si carecemos de estos textos en nuestro libro, podemos extraerlos de otros, o bien utilizar el recurso que te proponemos a continuación.

3. Textos confeccionados por el profesor/a.
Aunque no son auténticos, se pueden hacer muy naturales y realistas. La ventaja que tienen sobre los auténticos es que los podemos adaptar a los gustos, necesidades y objetivos de un grupo determinado de alumnos en el momento que los necesitamos.

Estas son algunas de las fuentes para escoger **textos orales**:

- el profesor/a
- los alumnos
- grabaciones:
    • auténticas (grabadas directamente)
    • manipuladas o confeccionadas por el profesor/a
    • comercializadas
- vídeo
- personas invitadas a la clase.

¿Podrías especificar más esta lista del modo que lo hemos hecho nosotros con la comprensión escrita?

TRABAJO CON EL TEXTO

Una vez elegido el texto tenemos que ver cómo lo trabajamos. Hay que considerar tres etapas:
- Antes de la audición/lectura
- Durante
- Después

- Antes de la audición / lectura del texto

El hecho de enfrentarse a un texto en una segunda lengua, sobre todo si es oral, suele provocar muchas reacciones negativas: miedo, angustia, frustración o bloqueo mental.

¿Has tenido tú como alumno esta experiencia alguna vez?

No es suficiente con que el profesor/a sea consciente de estos recelos, además los debe ayudar. Tiene que interesarlos de tal manera que los alumnos quieran leer el texto y, si es necesario, familiarizarlos con el tema, el estilo, o el mismo texto. A continuación os sugerimos algunas formas de llevar esto a cabo:

a) Con un dibujo. Ej.: Si el texto trata de un accidente de tráfico.

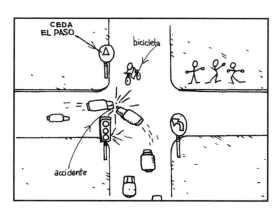

b) Con discusiones espontáneas sobre el tema. Ej.: Una grabación sobre un viaje en submarino podría introducirse con las siguientes preguntas:
¿Habéis estado alguna vez en un submarino?
¿Creéis que os gustaría?
¿Es posible visitar un submarino en vuestros países?

c) Con una serie de preguntas sobre el texto para ser contestadas antes de trabajarlo.

Ej.: Si el texto trata sobre abanicos, preguntarles:

¿De qué país proceden los abanicos?

¿Los han usado anteriormente los hombres?

¿Han sido utilizados siempre sólo por mujeres?

¿De qué materiales se confeccionan?

Después de haber contestado espontáneamente, buscan las respuestas en el texto y las comparan con las suyas.

d) Con una serie de preguntas que al alumno le gustaría que fueran contestadas en el texto.

Ej.:   Profesor/a: *Este texto trata de "los sanfermines", ¿qué os gustaría saber de ellos?*

Alumno 1: *¿Cuándo comenzaron a celebrarse?*

Alumno 2: *¿Qué conexión hay entre San Fermín y los toros?*

Alumno 3: *¿Por qué utilizan ese traje?*

Alumno 4: *¿Qué hacen con los toros después?*

Profesor/a: *Vale, escribid las preguntas en la pizarra y vamos a leer el texto para ver si podemos encontrar las respuestas en él.*

e) Con el título, si éste es lo suficientemente llamativo como para despertar la curiosidad en los alumnos. Ej.: "Una familia almacenaba en casa 6 toneladas de basura". ¿No tendrías ganas de saber qué hacían con ella?

 ¿Cómo ayudarías a tus alumnos a desarrollar la predicción de este texto?

COURTNEY LOVE, TERROR DE LAS SUEGRAS

*Courtney Love es la mujer que a cualquier madre le horrorizaría como novia de su hijo. Pelo a medio decolorar, el maquillaje corrido, un pasado bastante turbio como gruppy de cantantes de dudosa reputación, una conversación de lo más fluida, que incluye un taco por cada dos palabras, y una relación con las drogas, en concreto con la heroína, componen el retrato robot de esta inglesa cercana a los treinta años, mujer de Kurt Corbain (cantante de Nirvana) y líder de un grupo **mugre** de escaso éxito llamado Hole (agujero), que se ha convertido en la musa del **grunge.***

ESCÁNDALO

*Un puesto ganado a pulso, gracias a la capacidad de provocar escándalos de esta espabilada vividora que, según reconoce, siempre quiso emparejarse con una estrella de rock; su pasado amoroso viene relatado en un libro recién editado en Gran Bretaña. Entre sus más memorables artimañas para conseguir que se hable de ella está la de declarar recientemente en la revista **Vanity Fair** que mientras estaba embarazada continuó consumiendo heroína, o el hecho de aparecer en la misma revista desnuda.*

*Courtney representa para algunos el triunfo del posfeminismo, una mujer que ha hecho con su vida lo que ha querido, sin preocuparse del qué dirán ni de convencionalismos. Para otros es simplemente una aprovechada, bastante parecida al personaje de Nancy que interpretaba en **Sid y Nancy**. Courtney, la **gruppy** por excelencia, ha conseguido lo que quería: amarrar bien fuerte a una de las grandes estrellas del rock de los noventa.*

SILVIA GRIJALBA *(Revista ELLE)*

El alumno, aunque desconocedor de la lengua que está aprendiendo, tiene conocimiento del mundo y en muchos casos también conocimiento lingüístico. De esta forma está capacitado para predecir de qué trata el texto y qué tipo de información aparece en él. En el momento de empezar a leerlo ya no le parecerá tan extraño y se sentirá más cerca de él.

Un texto auténtico siempre contiene mucho lenguaje desconocido para el alumno. Debemos intentar que no cree un bloqueo en su mente y que se concentre en lo que sea esencial para la comprensión del mismo. Si consideramos que hay algo clave (vocabulario, estructuras, tema...) para facilitar la comprensión, entonces lo trabajaremos de antemano.

Este trabajo no tiene por qué hacerse inmediatamente antes de trabajar el texto, sino que se puede realizar en una clase anterior.

Después de haber elegido el texto, nuestra labor como profesores es DISEÑAR UNA TAREA, es decir, lo que queremos que hagan nuestros alumnos con él. Esta tarea servirá para ayudarlos a comprender y no para evaluar si lo han entendido o no. No hay nada de malo en evaluar la comprensión de nuestros alumnos, pero de momento éste no es nuestro objetivo.

Es muy importante tener en cuenta cómo queremos que interpreten el texto. Como nativos no lo hacemos siempre de la misma forma. Depende de la finalidad, de para qué estamos interpretándolo. ¿Queremos extraer una información en concreto o simplemente recrearnos entre las líneas de un poema?

Son muchas **las formas de interpretar un texto**. Nosotros hemos tratado de simplificarlas en tres grupos:
1. Para extraer una información detallada.
2. Para extraer una información selectiva.
3. Para extraer una información global.

¿De qué forma crees que leemos o escuchamos los siguientes textos: una receta para hacer una tarta de manzana, una noticia en el periódico, una conferencia sobre los problemas ecológicos y un artículo sobre las destrezas lingüísticas?

Hasta aquí hemos tratado las dos destrezas interpretativas juntas por todo lo que tienen en común. Al ejemplificar las tareas nos parece más conveniente separarlas en:
- comprensión escrita
- comprensión auditiva.

Veamos también en qué se diferencian:

COMPRENSIÓN ESCRITA

1. Los alumnos tienen que conocer el alfabeto y las reglas de ortografía para poder reconocer un texto.

2. Cuando el lenguaje está escrito, las palabras están separadas unas de otras y se pueden reconocer claramente.

3. Es verdad que no hay *feedback*, es decir, si no entendemos algo no podemos (en la mayoría de los casos) pedir una aclaración. Sin embargo, sí que podemos controlar lo que leemos e ir hacia delante o hacia atrás cuando lo necesitemos. El lector controla, de esta manera, la velocidad.

4. Exceptuando fotos y dibujos, que a veces aparecen junto a los textos y nos ayudan a su comprensión, no hay elementos paralingüísticos (gestos, expresiones faciales, sonidos...) que nos ayuden cuando se trata de un texto escrito.

COMPRENSIÓN ORAL

1. Los alumnos deben estar familiarizados con rasgos de pronunciación (no a nivel teórico) para poder interpretar el lenguaje aunque esté lleno de omisiones, contracciones, encadenamientos...
Ej.: *tellamostamañanapadecirte queee mencantaríavertotravez...*
Del mismo modo, deben acostumbrarse a los distintos acentos y timbres de voz.

2. Por lo dicho anteriormente, no siempre es posible reconocer las palabras, sino que oímos la lengua "comounchorrodesonidosdifícildeidentificar".

3. En los casos en los que el interlocutor nos es accesible, (exceptuamos la televisión, radio, conferencias...) es posible tener un *feedback* para ayudar a la comprensión.
Ej.: 1.   *-¿Cómo dices?*
        -O sea que sí que estás libre el viernes.
        -¿A las doce o a las dos?

Ej.: 2.   *-A ver si he entendido bien: tiene que llamar al consulado para que le renueven el pasaporte.*
Por el contrario, no podemos controlar (en muchos de los casos) la velocidad de la persona que está hablando. "Las palabras se las lleva el viento" y no podemos ir hacia delante o hacia atrás a nuestro antojo.

4. Existe todo un paralenguaje que ayuda al interlocutor a entender el mensaje: la situación en la que están y, sobre todo, los gestos, expresiones faciales...

■ *Trata de pensar en dos ejemplos: uno escrito y otro oral que hayas tenido que inter-*
pretar alguna vez, bien en tu propia lengua o en otra que estuvieras aprendiendo
¿Qué lo hizo fácil o difícil?

Siguiendo la clasificación anterior de las tres formas de interpretar un texto (detallada, selectiva y global), vamos a ver a continuación unos ejemplos de los tipos de tareas que se pueden diseñar.

TIPOS DE TAREAS

1. Para expresar una información detallada:
      A. Ordenar los dibujos de acuerdo con un texto.
      B. Completar con las palabras adecuadas los espacios en blanco de un texto.
      C. Marcar las diferencias entre un texto y un dibujo.
      D. Representar con mímica lo que dice un texto.

2. Para extraer una información selectiva:
      A. Contestar preguntas sobre un texto.
      B. Escribir frases que resuman los contenidos expuestos en el texto.
      C. Emparejar dibujos y textos.
      D. Comparar el texto con las predicciones sobre el tema que los alumnos hacen antes de la lectura del mismo.

3. Para extraer una información global:
      A. Poner el título a un texto.
      B. Reconstruir textos que han sido recortados y mezclados.
      C. Resumir un texto en un número exacto de palabras.

1.A. TIPO DE TAREA: Ordenar los dibujos de acuerdo con el texto.

      Empezaron a sentir el calor nada más llegar al aeropuerto. Todavía era temprano. Las maletas pesaban mucho y decidieron buscar una pensión donde pasar el fin de semana de vacaciones. Por la tarde fueron a dar un paseo por el centro de la ciudad. Era precioso: palacios, salas de arte y magníficas casas. Hicieron muchas fotos. Encontraron un restaurante muy bonito y entraron a comer una paella. Por supuesto, también bebieron mucho vino.

      A la mañana siguiente, aunque con un poco de resaca, se levantaron pronto para hacer algunas compras: un par de zapatos de piel, y algo de ropa. ¡Es tan elegante en España! Aunque no tenían tiempo para recorrer la Costa Brava, quisieron visitar algún pueblo típico. ¡Qué buenos estaban los calamares después de un baño y un paseo por la playa!

      Ya era domingo por la noche y al día siguiente tenían que volver a casa. Para las últimas horas escogieron ir a ver una obra de teatro. No entendían bien el español, pero daba igual. La obra resultó muy amena, con mucha acción y una música estupenda.

      Y se acabó. De vuelta a casa. ¡Qué rápido se pasa el tiempo cuando estás de vacaciones!

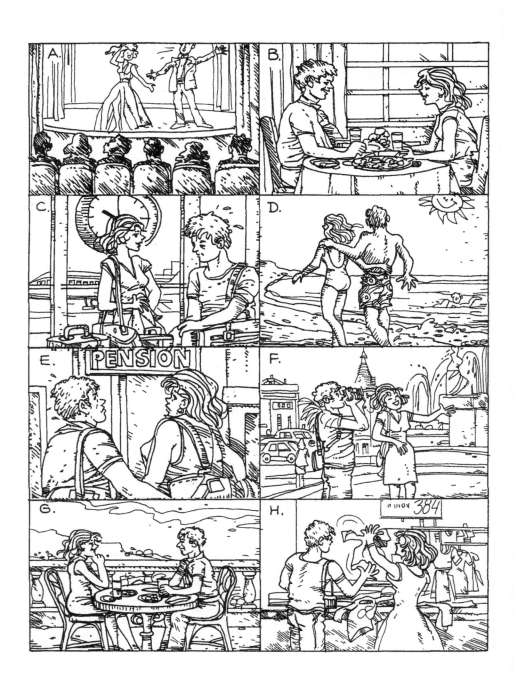

1.B. TIPO DE TAREA: Completar con las palabras adecuadas los espacios en blanco del texto.

Sentarse con salud

La sociedad actual se ha vuelto sedentaria. Las personas pasan demasiado tiempo ¹ _____ y muchas veces padecen dolores de cuello, hombros y espalda. Así lo han confirmado ² _____ estudios del Instituto de Biomecánica de Valencia (IBV) en su laboratorio de ergonomía, que en colaboración con la Dirección General de Consumo y la Consejería de Trabajo ha ³ _____ unas guías de recomendaciones para la selección de mobiliario doméstico, escolar y de oficina. Ya no ⁴ _____ que mirar sólo la estética o el precio de un mueble, sino comprobar que éste es ergonómico, es decir, que ha sido ⁵ _____ teniendo en cuenta la actividad a la que se destina, la comodidad y las características del usuario.

Los muebles deben ser: *estables*, que eviten cualquier posibilidad de vuelco; *seguros*, sin bordes cortantes o ⁶ _____ otro elemento que pueda dar lugar a accidentes; *adecuados al usuario y tarea*, teniendo en cuenta las dimensiones y características de quienes vayan a utilizarlos.

Según el IBV, hay que comprobar algunos factores clave. La ⁷ _____ del asiento: no debe ser tan baja que cueste levantarse y los pies deben apoyar holgadamente en el suelo; la *profundidad* del asiento: ⁸ _____ es excesiva, es imposible utilizar adecuadamente el respaldo; el respaldo: debe ser más alto en sillas de descanso que en las de trabajo y tener ⁹ _____ en la zona lumbar; el *acolchado*: un relleno mullido es más incómodo.

Los muebles ergonómicos no tienen por qué ser más ¹⁰ _____. La empresa Stokke tiene sillas de oficinas entre las 40.000 y las 150.000 pesetas; un taburete para dentistas o dibujantes, 30.000 pesetas, y una mesa de oficina regulable, 140.000 pesetas.

MARIMAR JIMÉNEZ
(El País semanal)

Posibles soluciones:

1. sentadas
2. numerosos
3. editado
4. hay
5. diseñado
6. cualquier
7. altura
8. si
9. apoyo
10. caros

(Puede haber más de una posibilidad para cada solución).

La reunión comenzó cuando llegaron las ocho personas. Era una sala muy cómoda con dos hileras de sillas, de tal forma que la mitad de los asistentes estaba enfrente de la otra mitad. Las sillas tenían brazo y unos cojines que las hacían más cómodas. Una gran mesa cuadrada en el centro constituía el resto del mobiliario.

Todo el mundo estaba muy serio y el ambiente era tenso. Todos tenían la copia de la revista donde había aparecido el artículo, por lo que empezaron a leer-lo en voz alta...

1.D. TIPO DE TAREA: Representar con mímica lo que dice el texto.

> Después de pasear durante más de una hora por el parque, Lola se sentó a descansar en un banco. No había comido nada desde la hora del desayuno, por lo que decidió hacerlo entonces. Abrió el bolso y sacó un sandwich y una lata de cerveza. No tenía mucha sed y pensó que sería mejor dejar la cerveza para por la tarde.
>
> ...
>
> Cuando terminó el sandwich, cerró los ojos y se puso a tomar el sol, pero... de repente... no, no podía ser, aquella voz; escuchó más atentamente... sí era él. De momento no quería que la viera, tenía que pensar qué hacer. Abrió el periódico y se ocultó el rostro con él...

La actividad se puede continuar de la siguiente manera: en parejas terminan la historia. Luego, cada alumno elige a un compañero de otra pareja para trabajar juntos. Esta vez cada uno lee su historia y el otro la representa.

2.A. TIPO DE TAREA: Contestar preguntas sobre el texto.

1. ¿Qué es la fiebre tifoidea?
2. ¿Cómo se contagia?
3. ¿Cuáles son los síntomas?
4. ¿Qué recomiendan los médicos?

FiebreTifoidea

Si le parece que la gripe le dura más de lo normal y la fiebre le sigue subiendo, visite a su médico. Usted podría padecer LA FIEBRE TIFOIDEA, o, como se conoce más familiarmente, el tifus.

Ésta es una enfermedad producida por una bacteria y por lo tanto infecciosa. A la alta fiebre suelen acompañar trastornos intestinales y tos. Aunque la enfermedad en sí no presenta gravedad, sí que puede traer complicaciones.

El tratamiento normal es a base de antibióticos y no suele ser necesario ingresar en el hospital. Sí que es aconsejable permanecer en cama e ingerir mucho líquido.

La enfermedad se contrae a través del agua o de alimentos contaminados. También puede suceder por contacto corporal. Por este motivo, se aconseja desinfectar todo aquello que tenga contacto con el enfermo.

De estar en un país con alto riesgo, lave bien la fruta y las verduras que vaya a comer crudas, o mejor cómalo sin piel. Y siempre procure mantener el máximo de higiene.

2.B. TIPO DE TAREA: Escribir frases que resuman los contenidos expuestos en el texto.
Escribir cuatro frases que resuman los motivos por los que España empezó a cambiar.

DIEZ AÑOS QUE CAMBIARON A ESPAÑA

La década que cambió España no tiene, a pesar de todas las investigaciones, una fecha concreta, una hora determinada o un hecho decisivo que sirva de punto de partida, de referencia definitiva para el análisis, para la pequeña historia o para la simple crónica.

Para unos, los más tradicionales, la década comienza la noche de San Silvestre de 1970 a las veintidós horas, cuando Francisco Franco Bahamonde, jefe del Estado español desde 1939, aparece en los televisores en blanco y negro y anuncia al país que su régimen es lo suficientemente fuerte como para conmutar nueve penas de muerte y setecientos años de prisión a los autores de la ejecución del comisario Melitón Manzanas, el policía más odiado por la recién nacida ETA (Euskadi ta Askatasuna-Euskadi y libertad).

Para otros, los más exactos, la década comienza precisamente a las doce horas de una fría mañana del día 1 de enero de 1971 en la plaza de San Pedro de Roma, cuando el Papa Pablo VI se dirige a los fieles para hablarles del proceso de Burgos, algo que entonces conmovió a Europa.

"Iniciamos el año - fueron las históricas palabras del Papa - con la confortable impresión de dos actos de clemencia con que han concluido los procesos que todos sabéis."

Para muchos, quizá los más sensibles, la década adquiere sentido histórico a las nueve y treinta y uno de una lluviosa mañana de diciembre de 1973, cuando el padre jesuita Gómez Acebo, que estaba rezando en sus aposentos de la calle Serrano número 104, escucha una tremenda explosión seguida de lo que al principio le pareció una visión fantasmagórica: una inmensa mole negra que caía del cielo.

La mañana lluviosa correspondía, según el calendario, al 20 de diciembre; la mole negra, según se supo después, era el Dodge Dart oficial del recién nombrado presidente del gobierno Luis Carrero Blanco, y el sentido histórico, según lo previsto desde hacía años, estaba en la misma cabeza del jefe del Estado Francisco Franco, que había pensado en el Almirante para que el futuro Rey estuviese atado y bien atado.

En fin, para casi todo el mundo, la década comienza dos años más tarde, a las cuatro y veinte de una fría madrugada correspondiente al 20 de noviembre de 1975, cuando lo poco que quedaba de Paulino Hermenegildo Teodulo Francisco Franco Bahamonde dejó de latir. En el momento de dar el último suspiro su vida era ya puramente artificial, y la tremenda lucha en los alrededores de su cama no era política sino simplemente humanitaria o doméstica: convencer a su yerno, el marqués de Villaverde, de que no tenía sentido intentar revivir un cadáver.

JOSÉ ONETO (Cambio 16)

¡ENHORABUENA!

Acaba de adqurir un magnífico sistema PIKOLIN para descansar.

Está fabricado para proporcionarle un extraordinario servicio durante muchos años. Sin embargo, no es indestructible.

Por favor, siga los siguientes consejos:

A. No permita que tanto el colchón como la base sean utilizados como trampolín. En ningún caso debe saltarse o ponerse de pie sobre el colchón.

B. Mantenga el colchón limpio y protegido contra los líquidos. Le sugerimos que utilice una funda.

C. No coloque el colchón nuevo sobre una base deteriorada. Esto podría producir daños en su nuevo colchón.

D. No permita que penetre la humedad en el colchón. Protéjalo del agua o de cualquier otro líquido.

E. Para que su colchón PIKOLIN se conserve como nuevo durante muchos años, cada semana gírelo sin doblar, de cabecero a piecero y voltéelo de arriba a abajo.

F. No doble el colchón, aunque sólo sea para pasarlo por una puerta. Bajo ninguna circunstancia debe doblar el colchón.

G. No doble las esquinas del colchón forzándolas para colocar las sábanas o fundas ajustables.

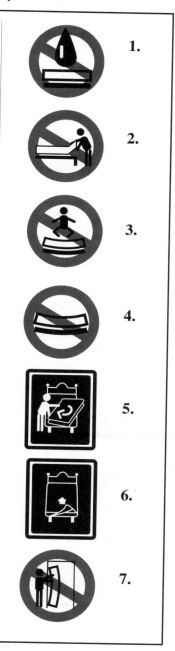

1.

2.

3.

4.

5.

6.

7.

Soluciones: 1. D   2. G   3. A   4. C   5. E   6. B   7. F

2.D. TIPO DE TAREA: Comparar el texto con las predicciones sobre el tema que los alumnos hacen antes de la lectura del mismo.

TÚ			EL TEXTO	
verdadero	falso		verdadero	falso
		1. Dejar a nuestros animales en la calle es lo único que podemos hacer cuando nos vamos de vacaciones.		
		2. Los precios de las residencias para perros dependen de los años que éstos tengan.		
		3. Las residencias ofrecen un servicio de tres paseos diarios a los animales.		
		4. Los gastos por enfermedad están incluidos.		
		5. El tiempo máximo de estancia en una residencia es de un mes.		
		6. "Protección de animales" acoge a cualquier tipo de animal abandonado.		
		7. Si un ciudadano ve a un animal abandonado en la calle, puede telefonear a la Perrera Municipal.		

Trabajo realizado por Isabel López.

NO ME DEJES, POR FAVOR

1 Cuando compramos un animal para tenerlo en nuestra casa, pocas veces pensamos los problemas que nos puede plantear cuando tenemos que ausentarnos.
5 Desgraciadamente son cada vez más las personas que abandonan a los animales en la calle. Vienen las vacaciones, la familia se marcha y... ¿qué hacer con el perro? Meterlo en el coche, llevarlo a un lugar
10 abandonado y dejarlo marchar...
Por supuesto, ésta no es la única solución. Siempre se pueden dejar con un amigo o en una residencia especial para animales. Casi todas las ciudades disponen de estos cen-
15 tros donde se puede dejar a los animales; su precio es de 700 a 1.000 ptas. por día de estancia. Si son cachorros, la cantidad aumenta; la razón es que los pequeños necesitan más cuidados y el riesgo de enfer-

medad es mayor.
Los animales tienen un lugar para dormir, se les da de comer y se les saca a pasear una
25 vez al día. Si tenemos mala suerte y el animal se pone enfermo, tendremos que pagarlo aparte.
Si pagamos por adelantado, entonces podemos gozar de unas largas vacaciones. No
30 existe limitación del tiempo para que los animales se puedan quedar en la residencia.
Y por último, si alguno de ustedes ve a un animal abandonado, no deje de llamar a la Perrera Municipal. El recoger animales
35 abandonados es una de sus funciones. Si lo prefiere, y el animal no es demasiado viejo, o sufre de alguna enfermedad, la Protección de Animales se puede hacer cargo de él.

20

3.A. TIPO DE TAREA: Poner el título a un texto.

Susana tiene 12 años y hace una semana que no come ni duerme. Estamos en la última semana de junio y en ella se decide, no sólo la bicicleta, sino también las vacaciones y sobre todo la aceptación de sus padres.

No puede estudiar. Está tan nerviosa y preocupada que las letras empiezan a bailar y en la cabeza se produce una sensación como si alguien desenchufara el ordenador que hay dentro.

Tengo que conseguir un 6 para aprobar en "mates" y un 5 en inglés. Si no aprueba al menos dos, tiene que repetir el curso. No quiero ni pensar lo que te va a pasar como no apruebes, había dicho su padre la noche anterior.

Susana se ha levantado a las cinco de la mañana. Ha abierto los libros y mientras una lágrima borra uno de los quebrados que ella tanto teme, se pregunta: ¿Qué voy a hacer ... ?

3.B. TIPO DE TAREA: Reconstruir dos textos que han sido recortados y mezclados.

a. La semana que has escogido me viene particularmente bien porque tengo vacaciones.

b. Será un Piscis o un Aries.

c. Querida Eugenia: Te escribo para decirte que estoy embarazada.

d. Tráete el bañador porque seguro que vamos a bañarnos al río o a uno de los lagos que hay por aquí.

e. Por lo demás puedo hacer una vida normal.

l. Vamos a recogerte a la estación.

m. Bueno, preciosa, te dejo. Nos vemos seguro en Navidad y para entonces ya me verás gordita.

n. Esta semana pensaba aprovecharla para pasear por la ciudad y hacer unas compras, así que me puedes hacer compañía.

ñ. Si no hay más noticias, hasta el miércoles.

o. Si pasa algo, llama por la noche, que estamos seguro en casa.

f. Si todo va bien, el niño (o la niña) nacerá a finales de marzo.

g. Querida Azucena: Te escribo para decirte que me alegro muchísimo de que vengas por fin a visitarnos.

h. Ya verás como lo pasamos muy bien.

i. ¡Ay, cuántas cosas! No creas, que tengo un poco de miedo.

j. Llámame cuando compres el billete y sepas la hora de llegada del tren,

k. Escríbeme pronto. Muchos recuerdos. Te quiere,

p. Yo me encuentro muy bien, lo único es que me siento cansada y el estómago lo tengo muy raro por las mañanas.

q. Estos días está haciendo muy buen tiempo. Quizás demasiado calor.

r. Hasta entonces y buen viaje. Muchos besos,

s. Estamos los dos ilusionadísimos.

t. También he empezado a pensar en mi trabajo. Tengo que organizarme bien para poder estar en casa el mayor tiempo posible.

TEXTO 1.	1	c.
	2	
	3	
	4	
	5	
	6	
	7	
	8	
	9	
	10	

TEXTO 2.	1	g.
	2	
	3	
	4	
	5	
	6	
	7	
	8	
	9	
	10	

3.C. TIPO DE TAREA: Resumir el texto en un número exacto de palabras.

LOS FENICIOS

La historia de Fenicia es la de un pueblo "lanzado al mar por su geografía". Un país poblado de montañas y sin posibilidades agrícolas buscó su expansión por el mar.

Los fenicios fueron los grandes marinos y comerciantes de la antigüedad, precursores de los judíos, genoveses y venecianos de la Edad Media y de los ingleses en la época moderna.

El mayor aporte cultural que nos dejó este pueblo ha sido el alfabeto fonético. Los fenicios, hombres ante todo prácticos, necesitaban una escritura sencilla con la cual pudieran entenderse fácilmente con los pueblos con los que comerciaban. Con este fin simplificaron y redujeron la escritura egipcia a sólo 22 signos, que representaban sonidos muy simples. Con estas 22 letras lograban escribir cualquier palabra, y, por medio de la combinación de palabras, los pensamientos. Los griegos adoptaron este alfabeto, transmitiéndolo después a otras lenguas indoeuropeas.

Resumir este texto en 100 palabras.

Resumir el texto en 50 palabras.

Ahora te toca a ti: diseña tres tipos de tareas diferentes para este único texto.

EL PRINCIPIO MASCULINO Y FEMENINO

La proposición fundamental del ecofeminismo, que reconoce la necesidad de un balance entre los principios masculino y femenino en nuestra sociedad, no es nueva, sino que ha sido expresada a lo largo de la historia. El libro más antiguo que se conoce, procedente de China, *I Ching*, data del año 4.000 a.C. y aporta el poderoso ejemplo de una filosofía que reconoce la dualidad de la existencia basada en el principio masculino y femenino. Los chinos persiguieron la armonía por medio del balance entre estos dos aspectos complementarios. Las bases de esta filosofía se han extendido por todas las culturas, encontrando su expresión en el pensamiento religioso y filosófico de las remotas civilizaciones del Próximo Oriente e influenciando las tradiciones místicas de Occidente, tales como la alquimia, y recientemente resurgiendo en el trabajo de Carl Jung, quien aplicó estos principios de dualidad a la psicología.

Mientras el reconocimiento aumenta en el constante favoritismo de la sociedad por el principio masculino, este punto de vista está, ahora, siendo cuestionado por ecofeministas que buscan explicaciones para los problemas existentes en el medio ambiente tomando un camino progresivo que explore las soluciones procedentes del balance entre los principios masculino y femenino.

MASCULINO	FEMENINO
Yang	Ying
Activo	Pasivo
Firme	Doblegado
Rígido	Fluido
Creativo	Receptivo
Acción	Reacción
Orden	Caos
Competitivo	Cooperativo
Separación	Síntesis
Desapego	Conexión
Consciente	Inconsciente
Pensador	Receptivo
Inteligencia	Emoción
Lineal	Global
Especializado	Generalizado
Hacia afuera	Hacia adentro
Originador	Sostenedor
Racional	Intuitivo

(Revista Integral)

Seguimos adelante con la clasificación que hicimos al inicio del apartado TRABAJO CON EL TEXTO (Pág.111).

Hasta ahora hemos elegido el texto, diseñado una tarea apropiada para el mismo, intentado motivar a los alumnos, y ahora vamos a entregar el texto. Si estos pasos han sido cuidados, muy probablemente los alumnos querrán leerlo y no tendrán miedo. El lenguaje esencial, clave, ya está trabajado, y lo que es muy importante: ANTES de empezar a leer el texto saben para qué lo están leyendo y no les pilla de sorpresa.

- Durante la lectura / audición del texto

La lectura se hace en casa o en clase. Si se hace en clase, el alumno lo lee de forma individual y no en voz alta. No es el momento de practicar pronunciación, no se pueden hacer las dos cosas a la vez. Esto lo podemos hacer más tarde o en otro momento. Se necesita silencio para que el proceso mental se realice y no estar en grupo, ya que cada proceso será diferente al del resto de los compañeros.

¿Qué te parece que podrías estar haciendo tú mientras tanto?

Una vez leído el texto o mientras lo leen, los alumnos van completando la tarea. Cuando está terminada, para darles mayor confianza y porque habrá algunos que terminen antes que otros, pueden ir comparando el resultado con la persona o personas que tienen al lado. Más tarde lo pondremos en común. Los mismos alumnos van descubriendo por qué las respuestas no coinciden y, si hay una sola posibilidad, cuál es. El profesor/a está escuchando y si lo necesitan, siempre le pueden consultar.

- Después de la lectura / audición del texto

Esta actividad no tiene por qué terminarse aquí. La comprensión del texto puede servirnos de base para otra actividad posterior. Nos ahorrará mucho tiempo. Podemos aprovechar todo el trabajo realizado: vocabulario, motivación, recolección de ideas...
Ej.: En la tarea 1.A se podría continuar la clase con una actividad gramatical cuyo objetivo fuera trabajar los tiempos verbales que aparecen en el texto; o con una actividad para ejercitar la expresión escrita donde los alumnos tuvieran que componer un texto similar sobre un viaje que ellos hayan realizado.

La tarea 2.D nos podría llevar a un juego de roles en el que los estudiantes tendrían los papeles de veterinario, cazador, vegetariano, granjero, fabricante de chorizos... y producirían un debate.

¿Qué se te ocurre para las tareas 2.B y 3.A?
Volvamos a ocuparnos ahora de la **comprensión auditiva**. Hemos elegido el texto y diseñado las tareas. Casi todos los ejemplos que hemos mostrado para la comprensión escrita pueden adaptarse a la oral y viceversa.

Repasa una vez más las tareas propuestas para la comprensión escrita y piensa en qué textos no se podrían adaptar a la comprensión auditiva y por qué.

Hay textos que son más apropiados para trabajar auditivamente, ya que es así como tienen lugar en la vida real. Veamos algunos ejemplos:

1. DIÁLOGOS

Exceptuando las obras de teatro, son muy pocas las ocasiones en las que leemos textos en estilo directo. Estos diálogos suelen tener un tono informal que normalmente no aparece en los textos y al que los alumnos se tienen que acostumbrar. El profesor/a puede grabar una serie de diálogos que, aunque estén un poco manipulados para adaptarlos a las necesidades del grupo, resulten lo más reales posibles.

2. CONVERSACIONES TELEFÓNICAS

Igual que en el caso anterior, pueden ser grabadas por el profesor/a o, por supuesto, si es posible, utilizar auténticos.

3. ANUNCIOS

Todo tipo de anuncio a través de altavoces: en el aeropuerto, en la estación, en el supermercado... En este grupo se incluirían también los anuncios por la radio.

4. CANCIONES

Se pueden trabajar bien como textos escritos y después poner la cinta, o bien como comprensión auditiva con cualquiera de las tareas anteriormente explicadas.

5. NOTICIAS EN LA RADIO

La gran ventaja que tienen es la actualidad. Se pueden grabar el mismo día.

¿Qué tareas aplicarías a los siguientes textos, que estarían previamente grabados?

a. Una canción (TODO VA BIEN. Intérprete: Luz Casal. Álbum: *A Contraluz*).

Tengo la suerte de ser una mujer
de la cabeza hasta los pies.

Mucho le temo al dolor si es terrenal,
juego fuerte y no sé de vanidad.

Todo va bien
y en mi opinión irá mucho mejor
si sabes tener ambición
para conquistar con valor y voluntad.
¿Quieres más?¡Gánalo!

El paraíso no está en un lugar,
tan sólo en tu interior puedes buscar
una respuesta mejor a la inquietud;
juega fuerte, tienes juventud.

Todo va bien
y en mi opinión irá mucho mejor
si sabes tener ambición
para conquistar con valor y voluntad.
¿Quieres más? En tu mano está,
lo conseguirás, ¡es tan fácil!

En tu mano está, no pares.
Ambición para conquistar
con valor y voluntad.

Decisión para conquistar
con valor y voluntad.

¿Quieres más?
¡Gánalo!

b. Anuncios por altavoces:

Señores clientes: no se vayan de nuestro establecimiento sin adquirir algunos de los muchos productos de oferta que, debido a la celebración del Día de la Madre, ofrecemos de forma especial. Bombones desde 3 euros, cava Codorníu por menos de 6... No se lo pierdan. Para mayor comodidad, pensando siempre en ustedes, para que no se tengan que desplazar más, lo hemos colocado todo en el pasillo número tres, donde se encuentran los congelados, que, casualmente, también están de oferta.

c. Conversación telefónica:

Nuria: *¿Está David?*
David: *Sí, soy yo.*
Nuria: *¡Ah, hola! No te había conocido. Soy Nuria, ¿qué tal?*
David: *Tirando. Hoy un poco cansado porque he trabajado mucho. ¿Y tú?*
Nuria: *Bien, muy bien, mucho trabajo, pero estoy contenta. Oye, te quería pedir un favor. Estoy preparando una clase y quiero poner una canción de Luz Casal. Me he acordado de que tienes tú el disco...*
David: *¡Anda, pues es verdad!, se me había olvidado completamente. Perdona.*
Nuria: *No te preocupes, es normal. Escucha, ¿qué vas a hacer mañana? Podríamos tomar algo juntos y así me das el disco.*
David: *Me parece estupendo. ¿A las nueve te va bien?*
Nuria: *Sí, ¿dónde?*
David: *En el bar del Pí.*
Nuria: *Vale. Hasta mañana entonces.*
David: *Adiós.*

Al principio del capítulo tú has realizado una tarea en la que te pedíamos que especificaras las fuentes de la comprensión auditiva, como nosotros lo habíamos hecho con la escrita. ¿Te acuerdas? Comprueba ahora tus notas y compáralas con la siguiente clasificación:

1. El profesor/a. Es el que lee o improvisa el texto (cuenta un chiste, una anécdota, una historia, da instrucciones...).
2. Un alumno. Ej.: Ha preparado una minicharla sobre un tema que luego se expone.
3. Otro profesor/a o una persona invitada. Los alumnos hacen preguntas o el profesor/a tiene una conversación con otra persona y ellos escuchan.
4. Material real. La radio: un debate, anuncios, noticias...
5. Una grabación. Puede ser:
- Comercializada: ya existen en el mercado del español como segunda lengua.
- Grabada por nosotros para un grupo determinado de alumnos.
- Auténtica: una canción, un poema, una situación...

CAPÍTULO

9.

LAS DESTREZAS EXPRESIVAS

1. Antes de leer el capítulo piensa por unos momentos qué te sugiere el título. Teniendo en cuenta lo que hemos trabajado sobre "destrezas interpretativas", ¿de qué crees que vamos a tratar ahora?

2. ¿Qué consideras que se valora cuando decimos de un extranjero: *¡Qué bien habla español!*?

3. ¿Qué importancia tiene para ti el paralenguaje en la comunicación? ¿y en el aula?

4. ¿Has aprendido una segunda lengua? En caso afirmativo, ¿de qué recursos te serviste hasta ser capaz de expresarte bien?

5. ¿Qué tipos de problemas de comunicación puede tener un extranjero y cómo se pueden afrontar?

6. ¿Qué diferencias ves entre la expresión oral y la expresión escrita?

7. ¿Cómo crees que debe ser la corrección cuando se realizan actividades para el desarrollo de la expresión oral?

8. ¿Qué actividades sugieres para trabajar la expresión oral y escrita?

9. ¿En qué ocasiones en la vida real tienen lugar la expresión oral y escrita aisladas?

10. ¿Cómo se combinan en la vida real las destrezas expresivas con las interpretativas?

Al igual que en el capítulo anterior tratamos de explicar qué entendemos nosotros por destrezas interpretativas, ahora vamos a intentar definir qué significan las destrezas expresivas. (Muchas veces estas destrezas son denominadas activas en contraposición a pasivas, o productivas en contraposición a receptivas. Nosotros nos hemos inclinado por el término "expresivas".)

Las destrezas expresivas incluyen: la expresión oral y la expresión escrita. Hay que tener cuidado porque el nombre "expresión oral" puede inducir a error. La expresión oral, entendida como destreza lingüística, no significa:

- Expresar algo en voz alta.
- Cuidar el estilo y la forma de hablar (de lo que se encarga la retórica o dialéctica).
- Responder oralmente a una serie de ejercicios mecánicos.

De la misma manera, la expresión escrita no significa:

- Anotar frases que han sido escritas en la pizarra.
- Escribir algo que está siendo dictado palabra por palabra.
- Responder de forma mecánica a una serie de ejercicios por escrito.

¿Puedes pensar en otros dos ejemplos de lo que no son destrezas expresivas, pero que muchas veces se toman como tales?

Hasta ahora hemos dicho lo que no es la expresión oral, pero no lo que es. Esto lo haremos a lo largo del capítulo y más concretamente con las actividades prácticas que proponemos. En el capítulo 8 empieza la tercera sección del libro (ver índice). La gran diferencia con la sección anterior es que aquella (la nº 2) estaba dedicada al aprendizaje de la lengua, es decir, hemos tratado cada uno de los componentes del lenguaje de manera aislada (pronunciación, vocabulario, estructuras gramaticales y exponentes funcionales). El objetivo de las clases dedicadas a la sección 2 es que el alumno, a través de la teoría, las explicaciones y las actividades, logre aprender lo más correctamente posible la parte de la lengua que se está trabajando.

Los capítulos 8 y 9 tratan de cómo ayudar al alumno a que aprenda a interpretar o expresar lo que piensa o siente sin atender tanto a la corrección y precisión. Nuestro objetivo en las clases es principalmente que los alumnos consigan poco a poco una mayor fluidez en español.

Al llegar a este punto se nos plantea una pregunta: ¿En qué reside la fluidez al expresarse? o, como se dice más prosaicamente, ¿qué se entiende por "hablar con soltura"?

Éstas serían algunas definiciones de *fluidez*:

1. Fluidez equivale a hablar con rapidez. No atascarse cada tres palabras, sino emitir un "chorro" de lenguaje que fluye sin dificultad.

2. Una persona se expresa con fluidez en el momento en que deja de sufrir; cuando la lengua que está utilizando no le causa sensación de impotencia y/o frustración; cuando se encuentra cómoda y deja de ser un proceso doloroso y agotador.

3. La fluidez consiste en hablar como un nativo, por lo que no sólo se debe hablar con soltura, sino también correctamente.

4. Fluidez equivale a comunicación; si una persona es capaz de comunicar lo que piensa o siente, entonces se está expresando con fluidez.

¿Con cuál de estas definiciones estás más de acuerdo?

Estos dos textos han sido confeccionados por alumnos de un mismo curso de principiantes. ¿Quién te parece que tiene más fluidez? ¿Por qué?

A.- *Las chicas están en la cocina. Allí está una mesa. Encima de la mesa un bolso. ¿Hay un libro también? Sí, el libro está en el bolso. En el bolso están dos discos también.*

B.- *Estoy con mia chica en Salamanca. El tiempo estó bien pero demisiado frío. Soy muy contento porque el comida y el habitación están bonitos y baratos. He visto muchas iglesias y otras casas antiguas. Hoy voy a ir a Munich y martes a las siette y media a clase.*

Al reflexionar sobre estos dos textos, nos podemos plantear también no sólo lo que "la gente de la calle" considera que es hablar con soltura, sino también cómo valoramos los profesores lo que es hablar con fluidez.

Muy pocas son las personas que aprenden una lengua a la perfección y, en todo caso, si lo consiguen, ¿qué pasa en el proceso intermedio? ¿cómo se las arreglan? ¿cómo pueden comunicarse y expresarse sin estar preparados? Afortunadamente no es tan dramático como nosotros lo acabamos de cuestionar. Todas las personas tienen una serie de recursos que se llaman "estrategias de compensación". Son las siguientes:

- Utilización del paralenguaje, es decir, todo lo que usamos en la comunicación que no es lenguaje. Incluiría: gestos faciales, gestos con las manos o el resto del cuerpo; sonidos que no son clasificados como palabras, ej.: *pss* (significando "regular"), *tttt* (significando, "no, no, no, no"). Objetos convencionales, ej.: entregar una rosa sin mediar palabra para pedir perdón, o mirar el paquete de cigarrillos queriendo invitar a fumar. Estos elementos tienen un papel importantísimo en la comunicación, son unos recursos estratégicos muy útiles para nuestros alumnos. Les sirven para llenar muchos de esos huecos lingüísticos que se producen por desconocimiento o ausencia, en ese momento, del lenguaje que se necesita.

- Uso de signos convencionales. Grafías: señales de tráfico, símbolos matemáticos, dibujos, etc. Ej.: Dibujar un animal o un tipo de casa o mueble si no se tiene la palabra.

- Técnica de la aproximación. Consiste en escoger una palabra o estructura aproximada cuando no se puede utilizar la correcta. Ej.: *Pásame la fruta*, porque no se sabe cómo se llama esa fruta en particular (melocotones, p. ej.) que queremos nombrar. En este apartado se podrían incluir también las llamadas palabras o expresiones comodines como: chisme, cosa, eso, lo que sea, depende, más o menos ...

- Empleo de la paráfrasis, es decir, dar un rodeo a lo que queremos expresar porque no tenemos la palabra o estructura exacta. Ej.: *Quiero comprar una máquina que sirve para hacer la fruta líquida.*

- Invención. Jugar con la lengua aun corriendo el riesgo de poder equivocarse. Ej.: Intentar formar palabras compuestas, derivadas... (aplauso-aplausar, cuarto de baño-cuarto de estar, cuarto de comer...).

- Inclusión de palabras en otro idioma que ambos interlocutores conocen. Ej.: Un español y un alemán podrían utilizar el inglés como lengua puente.

- Evasión. Intentar evitar una serie de temas porque se sabe de antemano que son demasiado difíciles e, incluso, dirigir la conversación para expresar frases que ya se han formulado repetidas veces y sobre las que se tiene más seguridad.

Estas estrategias pueden ayudar a nuestros alumnos. Sin embargo, somos conscientes de que no son suficientes y que siguen teniendo una serie de problemas al expresarse. Estos problemas podrían agruparse en:

A.- Problemas afectivos:
- Sentido del ridículo (Ej.:*¡Qué vergüenza!, ¡Dios mío!, ¡mira que tener que apuntar con el dedo como si fuera un niño de dos años porque no sé cómo se llama lo que quiero comprar!*).
- Humillación (Ej.: *Deben de pensar que soy un plomo, ¡cinco minutos para explicar algo tan tonto!*).
- Cambio de personalidad (Ej.: *Estas personas deben de pensar que no tengo sentido del humor y que soy un soso; lo que no saben es que no entiendo nada*).

B.- Problemas lingüísticos:
- Desconocimiento del lenguaje que se necesita en ese momento.
- Aunque se sabe, no "viene a la cabeza" cuando se necesita.
- No nos entienden porque utilizamos una pronunciación o entonación equivocadas.

C.- Problemas comunicativos:
- Expresar algo correcto pero en una situación inapropiada.
- No utilizar el registro correcto. Ser demasiado informal en una situación formal y viceversa.

DIFERENCIAS ENTRE LA EXPRESIÓN ESCRITA Y LA EXPRESIÓN ORAL

EXPRESIÓN ORAL	EXPRESIÓN ESCRITA
1. Hay poco tiempo para pensar. Tenemos que ser rápidos en la selección de palabras o frases que vamos a emplear. No podemos detenernos continuamente y, aunque sí nos podemos autocorregir, sabemos que en exceso puede resultar pesado para nuestro interlocutor.	**1.** Hay más tiempo para pensar. Lo que escribimos se puede leer y corregir cuantas veces se quiera.
2. Tiene la dificultad de la pronunciación. Hay que aprender un nuevo sistema fonético.	**2.** Tiene la dificultad de la ortografía. A muchas personas que aprenden español el alfabeto les es totalmente desconocido.
3. No podemos planear con antelación el discurso que vamos a expresar; como mucho, unas pocas frases.	**3.** Se puede planear con antelación y decidir la introducción, los párrafos...
4. Lo que decimos depende continuamente de lo que diga nuestro interlocutor. La interacción es continua.	**4.** No hay ninguna interacción con el lector, al menos a corto plazo y exceptuando algunos casos.
5. A no ser que se trate de un monólogo, nuestro interlocutor nos puede ayudar si observa que tenemos dificultades para expresarnos.	**5.** Puede efectuarse con ayuda de la gramática y el diccionario.
6. Hay un gran repertorio de recursos estratégicos (gestos, dibujos, apuntar...).	**6.** Los recursos estratégicos están menos aceptados y son limitados.

Hasta aquí hemos visto juntas las dos destrezas expresivas (al igual que hicimos con las interpretativas). Sin embargo, somos conscientes de las diferencias que hay entre ellas y, para ilustrarlo mejor, queremos incluir un ejemplo práctico de un acto comunicativo expresado de forma oral y escrita. La situación es la siguiente: Luisa ha quedado con Gemma el sábado por la tarde para ayudarla a hacer la mudanza de casa. Se le olvida y no aparece. Escribe una nota:

Gemma:

No sé por dónde empezar a pedirte perdón. Siento muchísimo lo que pasó ayer y quiero, al menos, explicarte por qué no aparecí.

En primer lugar, llevo una semana complicadísima con esto de los exámenes finales.

Después, ayer tuve un día muy malo y se me olvidó por completo que hubiera quedado para ayudarte con el traslado.

Cuando por la noche miré la agenda y me acordé, te llamé inmediatamente pero ya no estabas en casa. Yo me marcho a pasar el fin de semana a casa de mis padres. Viven en el campo y no tienen teléfono, por eso te mando esta nota escrita tan rápidamente.

Mil perdones. En cuanto vuelva te llamo. Besos (si me los aceptas).

Tu amiga, Luisa.

Se encuentran el lunes y hablan. Aunque Luisa tenga la misma intención, el desarrollo del diálogo dependerá de la reacción de su amiga. Veamos tres posibilidades:

Diálogo número 1:
Luisa: *¡Ay, Gemma!, perdóname, por favor, no sé qué decirte, pero es que se me olvidó por completo.*
Gemma: *¡Ay, chica!, ¿el qué?*
Luisa: *¿Cómo que el qué? ¿No era ayer el día que te cambiabas de casa?*
Gemma: *¡Ah, es verdad! Se me olvidó decírtelo. Al final lo hago la semana que viene y ...*
Luisa: *¡Glup!*

Diálogo número 2:
Luisa: *¡Ay, Gemma!, perdóname, por favor, no sé qué decirte, pero es que se me olvidó por completo ...*
Gemma: *Mira, si no te importa, prefiero no hablar del asunto. Adiós.*
Luisa: *¡Glup!*

Diálogo número 3:
Luisa: *¡Ay, Gemma!, perdóname, por favor, no sé qué decirte, pero es que se me olvidó por completo.*
Gemma: *No importa, de verdad, no te preocupes. Vino mucha gente.*
Luisa: *¡Ay chica!, cuando miré la agenda y me di cuenta, me quería morir.*

Gemma: *Pero ... ¿qué te pasó?*
Luisa: *Pues nada, que llevaba toda la semana obsesionada con los exámenes ...*
Gemma: *¿Exámenes? ¿Todavía? Yo pensaba que habías terminado.*
Luisa: *No, no, ¡qué va! Bueno, pues eso, y después el sábado tuve un día malísimo y ...*
Gemma: *¡Qué pobre! ¿Por qué no me llamaste?*
Luisa: *¡Pero si lo hice!, pero ya no estabas en casa ...*

Vemos que el lenguaje escrito no es una mera transcripción del lenguaje oral. Son dos códigos diferentes y son muy pocos los casos en los que, dada una situación concreta, coinciden.

Al igual que hicimos con las destrezas interpretativas, terminaremos este capítulo con una serie de ideas sobre actividades para ayudar a nuestros alumnos con la expresión oral y escrita.

Antes de continuar leyendo, ¿te acuerdas tú de alguna actividad en la que hayas participado en alguna clase, no como docente, para aprender una segunda lengua? Trata de recordar cuáles eran las que más te gustaban.

ACTIVIDADES PARA LA EXPRESIÓN ORAL

1. MINICHARLAS

Los alumnos preparan unas minicharlas en casa. Los temas son sugeridos por ellos mismos y/o el profesor/a; no tienen por qué ser temas relacionados con España, Latinoamérica o la lengua española. A veces hablan más cómodamente sobre un tema que conocen bien. La variedad es extensa: un animal, un país, una persona famosa, una anécdota, un chiste, una leyenda o historia...

Pasos que deben seguirse:

- El alumno que lo desea prepara una charla en casa.
- La comenta con el profesor/a y, conjuntamente, la corrigen.
- La expone ante sus compañeros procurando no leer, aunque puede guiarse con unas notas.
- Durante la exposición, el profesor/a no corrige, aunque apunta los errores cometidos para un posterior estudio.
- Los compañeros hacen preguntas y comentarios.
- Si sale espontáneamente, se crea un debate sobre el tema.

Haz una lista de diez temas que tú propondrías a los alumnos.

2. DISCUSIONES

Hay una lista que hay que ordenar. Los alumnos se tienen que poner de acuerdo sobre este orden. Se trata de fomentar la discusión. Tienen que argumentar el resultado.

El contenido de la lista puede ser muy variado: una serie de objetos que deben meter en la maleta, las cualidades que debe tener un alumno, en qué ocupan los españoles sus ratos de ocio...

Ej.: (Ésta es una lista real aparecida en el periódico EL PAIS el sábado 28 de octubre de 1989):

Actividades preferidas	Porcentaje
1. Oír la radio	a. 76,2
2. Leer libros	b. 51,5
3. Ver la televisión	c. 19,5
4. Juegos	d. 14,5
5. Leer la prensa	e. 10,9
6. Charla / copeo	f. 10,4
7. Pasear	g. 7,6
8. Escuchar música	h. 6,4
9. Hacer deporte	i. 6,4
10. Practicar una afición.	j. 3,9

Los alumnos deben relacionar las dos columnas según las actividades que ellos creen que les gustan más a los españoles. Las dos primeras soluciones serían 3/a y 6/b.

¿Puedes continuar tú?

3. EL BINOMIO FANTÁSTICO

Fue creado por Gianni Rodari en su *Gramática de la Fantasía* (¡O al menos ésa es la referencia que nosotros tenemos!). Consiste en elegir dos palabras al azar y crear una historia partiendo de ellas. Ej.: Las palabras JARDÍN y DESPERTADOR. El resultado podría ser algo de este estilo:

A. Érase una vez un reloj que se había cansado de marcar siempre las horas, los minutos, los segundos... Nunca podía descansar, divertirse un ratito. Era como tener una cadena perpetua a trabajos forzados. Don Despertador, que así se llamaba nuestro reloj, habría estado satisfecho si al menos le hubieran querido, pero Manolo, su dueño, no sólo lo odiaba, sino que también lo maltrataba.

Una mañana, cuando Don Despertador cumplía con su deber y gritaba con todas sus fuerzas el despertar del día, Manolo, furioso consigo mismo porque una vez más se había entretenido con los amigos la noche anterior y acostado a las tantas, cogió el despertador y lo tiró por la ventana. Fue a caer en el jardín en el mismo momento en que pasaba Luisito camino de la escuela. Al verlo en tal mal estado, lo cogió y lo llevó a casa. Su papá, que, aunque no era relojero, tenía mucha habilidad con las manos, lo arregló.

Y así es como cambió la vida de Don Despertador. Ahora era querido y ya no tenía que trabajar. De vez en cuando hacía un poco de ruido para que se acordaran de él, pero vivía tranquilo y feliz rodeado de los juguetes de Luisito.

B. Un día, cuando Eloísa estaba regando las rosas de su jardín, encontró medio escondido entre las hierbas un viejo despertador. ¿Cómo había podido llegar hasta allí? Lo llevó a casa y lo enseñó a su familia. Ninguno había visto antes una máquina parecida, ni sabían qué hacer con él. Lo metieron en un cajón y se olvidaron de él hasta que al domingo siguiente fueron a cenar a casa de los vecinos. Todo quedó aclarado en cuanto los vecinos empezaron a contar cómo les había desaparecido misteriosamente su "reloj para despertarse".

Todo depende de la imaginación de los alumnos. No tienen que escribirlo, sólo crearlo. Cuando esta tarea está realizada, se la cuentan unos a otros; es muy divertido porque ven cómo, partiendo de dos palabras iguales, cada grupo ha creado algo totalmente diferente.

4. FOTOS Y DIBUJOS

A. **Una imagen:** una persona, un paisaje, un objeto... De nuevo se trata de dar "rienda suelta" a la imaginación y no hablar sólo de lo que se ve, sino crear historias a partir de la imagen.

Ej.: a) Si es un objeto: ¿qué nos sugiere? ¿qué haríamos con él?...
b) Si es un paisaje: hablar de qué país puede ser, cómo debe de ser el clima, qué época del año, para qué es propicio...
c) Si es una acción: ¿qué ha pasado antes? ¿qué va a pasar después?...
d) Si hay más de una persona: ¿qué relación hay entre ellas? ¿qué estaban haciendo en el momento en que se tomó la foto?...
e) Si las personas están hablando: se puede crear la conversación que estaban manteniendo...

B. **Un conjunto de imágenes:**
a) Que pertenezcan a una misma serie (tiras de comics, por ejemplo).

Son fáciles de conseguir porque aparecen en muchos libros de texto. A veces resulta un poco aburrido que vayan describiendo los dibujos cuando todos los tienen delante. Si jugamos con los dibujos, resulta más motivador:
- Quitamos un dibujo diferente a cada alumno.
- Suprimimos el dibujo final y los alumnos lo tienen que inventar.
- Damos un solo dibujo a cada alumno.
- Etc.

Muchas son las posibilidades, pero siempre tienen el mismo principio: crear lenguaje e interacción.

b) Que hayamos elegido nosotros.

Las imágenes no tienen entre ellas ninguna relación. Se trata de que los alumnos la creen. Cada grupo puede elegir dos o tres fotos (o dibujos) e intentar imaginar una historia; o bien el profesor/a reparte al azar dos o tres a cada pequeño grupo para crear esa historia que contarán más tarde de forma oral.

5. DEBATES

   Si llevar a cabo un debate en la lengua materna es siempre difícil en sí, por la rapidez que conlleva argumentar, lo es mucho más cuando éste se realiza en una segunda lengua. Por este motivo, debemos cuidar mucho su preparación. Los alumnos deberían tener tiempo de antemano para obtener ideas y buscar argumentos. Para ayudarlos a conseguir estas ideas, podemos trabajar anteriormente una grabación o un texto que trate del tema, y darles tiempo en pequeños grupos para pensar.

Veamos un ejemplo:

Lee el texto y completa:

TIPO DE PRODUCTO	
MODO DE APLICACIÓN	
RESULTADOS	
EFECTOS SECUNDARIOS	
PRECIO	

¿Le gustaría ser veinte años más joven?

En Estados Unidos acaban de inventar un nuevo tratamiento para detener el proceso de envejecimiento. Su fórmula consiste en la utilización de la hormona humana. Gracias a ella, podemos rejuvenecer veinte años, conseguir unos músculos más fuertes y hacer desaparecer las arrugas.

   Los equipos que han trabajado en la investigación señalan que las inyecciones son más adecuadas que las píldoras. La dosis sería de tres veces por semana y la cantidad dependería de los kilos del consumidor. Un tratamiento completo vendría a costar un millón y medio de pesetas al año.

   Aunque todavía no está en el mercado, ya se sabe que podría causar artritis y problemas cardiovasculares. ¿Merece la pena este sacrificio por unos cuantos años de menos?

DEBATE
GRUPO A:
Buscar argumentos a favor del tratamiento hormonal.
GRUPO B:
Buscar argumentos en contra del tratamiento hormonal.

Los debates no tienen por qué ser sobre temas trascendentales. A los alumnos les puede ser más útil practicar discusiones que se dan a diario en el bar, en la mesa o en una fiesta.

Intenta acordarte de las conversaciones que tuviste tú ayer, y después anota los temas sobre los que versaron.

6. REPRESENTACIONES O JUEGO DE ROLES

Estos debates que acabamos de proponer en los que los alumnos expresan sus opiniones, se transforman en representaciones en cuanto asignamos al grupo papeles de personajes ficticios.

Ej.: Una representación sobre el tema de la emigración. Existen los siguientes roles para los alumnos:

a.- Paco Álvarez. Casado. 50 años en Munich. Trabajador en la fábrica de BMW. Se fue a Alemania porque en su pueblo no había trabajo. Ahora quiere volver a España, ya que nunca se ha sentido contento allí.

b.- Jaime. Pintor. Soltero. 40 años. Reside en Nueva York desde hace 12 años. Estudió en un colegio inglés y después completó sus estudios en París y Florencia. Siempre quiso ir a vivir a Nueva York. Enseguida conoció a Virginia, una pintora americana que le introdujo en el mundo artístico y con la que vive desde entonces.

c.- Paquito Álvarez. Soltero. 22 años. Nacido en Munich, pero de padres españoles. Su padre trabajaba en la BMW. Estudia ingeniería en la universidad. De pequeño iba todos los veranos al pueblo de sus padres; ahora hace ya cuatro años que pasa las vacaciones con sus amigos viajando por Europa. Sus padres acaban de decidir que se van a vivir a España.

d.- Louise. 30 años. Casada con un ingeniero. A su marido lo trasladaron a Barcelona y ella fue también. Todavía no habla español. Tienen un hijo de un año. No tiene trabajo. En París ejercía como pediatra. Tienen que estar en Barcelona 5 años más.

¿Puedes añadir tres personajes más?

Los alumnos disponen de unos minutos para meterse en sus papeles y pensar en los argumentos que van a exponer. Cuando el grupo es numeroso y no hay papeles para todos, lo que se puede hacer es dar cada personaje a tres personas que se sientan juntas y preparan los argumentos juntas también. Este trabajo previo en pequeños grupos tiene muchas ventajas: les da seguridad, se intercambian ideas y practican conversación.

El profesor/a, en la primera fase, ha ido paseando entre los alumnos y ayudándolos. Previamente les ha dado unas preguntas para ayudarlos a encontrar argumentos.

Ej.: ¿A qué tipo de persona se asocia la palabra "emigrante"?
¿En qué se diferencian los distintos tipos de emigrantes?
¿Cuáles son los mayores problemas que tienen?
¿Tienen algunas ventajas?
¿Qué países son los mejores y peores para emigrar y por qué?
¿Qué razones hay para emigrar?

Cuando ya están preparados se crean nuevos grupos con un representante de cada grupo anterior. La clase tiene este aspecto:

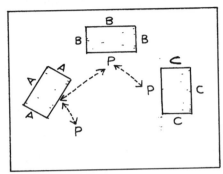 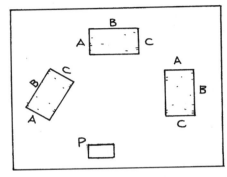

Entonces comienza la representación. El profesor/a se limita a lanzar preguntas o comentarios y tomar notas de los errores más frecuentes que van apareciendo. El papel de moderador lo puede tomar también un alumno. Si disponemos de medios, es interesante grabarlo en vídeo y, posteriormente, corregirlo entre todos.

Prepara una representación sobre el turismo. Confecciona las tarjetas para cinco personajes y selecciona los puntos que pretendes tratar.

Otro tipo de representaciones son los pequeños diálogos que tienen lugar en la vida real. El alumno tiene unas tarjetas con una serie de pautas para llevar a cabo la conversación.
Ej.: Un pequeño diálogo en una agencia de viajes. Tres posibles tarjetas serían:
A. Trabajas en una agencia de viajes. Tienes muchas plazas libres en la Costa del Sol y te ha dicho tu jefe que las tienes que vender.

B. Quieres ir de vacaciones y no te importa dónde con tal de que no haya problemas y el viaje sea rápido.

C. Te han hablado muy mal de la Costa del Sol y es el único sitio adonde no quieres ir.

Haz una lista de las situaciones en las que te has encontrado tú hoy y que se suelen repetir cada día. ¿Crees que merecería la pena trabajarlas con tus alumnos?

7. JUEGOS

Los juegos que se pueden hacer para practicar la expresión oral son muchos y variados. En este apartado detallaremos uno en concreto:

Disponemos de una serie de tarjetas que contienen dibujos o palabras. Están sin orden y no tienen por qué estar relacionadas entre sí. Pueden ser una recopilación de palabras o frases que se han ido trabajando a lo largo de la semana. Los alumnos van "robando" de la baraja y crean una historia o un diálogo.

Ⓐ Tarjetas con palabras

1 basura	2 destruir
3 derroche	4 medio ambiente
5 contaminación	6 reciclaje

Éste sería un posible principio de la historia:

Alumno 1: *Hay demasiada **basura** en nuestras ciudades...*

Alumno 2: ***Destruir** esta basura es un gran problema...*

Alumno 3: *El problema empieza con el **derroche** de papel y plástico...*

Ⓑ Tarjetas con dibujos

Éste sería un posible principio de la historia:

Alumno 1: *Érase una vez un bosque encantado...*

Alumno 2: *En este bosque vivía una bruja muy mala y muy fea...*

Alumno 3: *Un día apareció un príncipe muy bueno y muy guapo...*

Éste no es un capítulo dedicado a juegos, por lo que no nos queremos extender más. Aunque no hay un capítulo exclusivo para este tema, sí que hemos tratado de incluir varios a lo largo del libro.

Busca en el capítulo 6 los juegos que aparecen y decide si los podrías utilizar como tareas para la práctica de la expresión oral o cómo los podrías adaptar.

Es importante que ANTES de un ejercicio de expresión oral haya un estímulo, un punto de partida de donde los alumnos saquen ideas. Ej.: un texto, un vídeo, una foto, una grabación... También es necesario que hayan aprendido el lenguaje que van a tener que utilizar para la discusión. Ej.: *No estoy de acuerdo con lo que dices; me da la impresión de que no estás bien informado; yo estoy convencido de que...; perdona, pero creo que estás exagerando; a mí me parece que lo que pasa es que...* . Al terminar la actividad debe haber una conclusión o resumen conjunto. Con las notas que ha tomado el profesor/a sobre los errores más frecuentes que han aparecido en el transcurso de la exposición, se puede preparar una clase de repaso.

ACTIVIDADES PARA LA EXPRESIÓN ESCRITA

Antes de leer sobre la expresión escrita, repasa las actividades que hemos sugerido para la expresión oral y decide cuáles podrías emplear también para la escrita. Anótalas en un papel. Cuando termines de leer el capítulo comprueba si has cambiado de opinión o no.

Las actividades para la expresión escrita han estado un poco abandonadas en los últimos años por considerarse parte de métodos tradicionales y como consecuencia del empuje que se dio a la expresión oral. Más recientemente son muchos los autores que vienen reivindicando su importancia, por lo que ha habido una revisión de las actividades que se hacían anteriormente.

Uno de los errores que se cometía con frecuencia era que se lanzaba a los alumnos, sin pasos intermedios, de responder a una serie de preguntas mecánicas que se podían realizar de una forma automática a la construcción de redacciones de una manera totalmente libre y sin ningún tipo de ayudas o pautas. Los alumnos se sentían perdidos y el resultado era tan pobre (¡demasiada tinta de color rojo!) que perdían la motivación, experimentaban frustración y una actitud negativa hacia la expresión escrita.

Al igual que las actividades de expresión oral, éstas deben ser graduadas. Al principio les daremos muchas pautas y ayudas, y poco a poco las iremos reduciendo a medida que los alumnos se sientan más confiados y capacitados.

Por ejemplo, si nuestro objetivo es que nuestros alumnos lleguen a escribir una carta, podríamos hacer diferentes actividades previas:

1. Una carta ya redactada donde faltan algunas palabras que ellos tienen que completar.
2. Una carta que hemos recortado en fragmentos y desordenado. Los alumnos tienen que encontrar un orden lógico.
3. Comparar la misma carta escrita en dos registros de lenguaje diferentes (formal e informal, por ejemplo).
4. Una carta escrita sin signos de puntuación. Los alumnos tienen que puntuarla.
5. Otra carta que tiene dos párrafos redactados (el primero y el último, por ejemplo) y ellos tienen que inventar el párrafo que falta.
6. Una carta empezada que ellos tienen que acabar.

También tradicionalmente se consideraban las actividades escritas casi como una evaluación, y se comprobaba el resultado (a ver lo que habían aprendido). No tiene por qué ser sólo así, no tienen por qué ser ejercicios individuales corregidos posteriormente por el profesor/a. Estas tareas se pueden realizar en parejas o grupos y corregirse entre todos. Es tan interesante el proceso que tiene lugar mientras escriben (los problemas que se van encontrando, los errores que cometen, el repaso que hacen, el intercambio de opiniones y conocimientos) como el resultado obtenido.

Vamos a terminar el capítulo con una serie de ideas sobre actividades que podemos realizar:

1. Combinar una serie de palabras sueltas formando un poema.

Ej.: amor / dime / son / van / aire / suspiros / y / las / son / dime / muere / al / se / lágrimas / cuando / los / van / agua / y / mar / un / al / va / donde / aire.

¿Ya lo has compuesto tú? Si aún no, te daremos el nombre del poeta: Gustavo Adolfo Bécquer. ¿Ahora sí?

Los alumnos no tienen por qué recomponer el poema como el original. Se aceptarán todas las versiones que hagan, lo que sí es importante es que se limiten a emplear las palabras que se les dan, ni una más ni una menos.

2. Convertir telegramas en cartas, o anuncios de periódico en diálogos.

a) Ej.: Enrique / aprobado Medicina / contentísimos / junio / besos / María.

El resultado sería de este tipo:

¡Hola a todos!   Córdoba, a 4 de mayo de 1994

Os escribimos para contaros que Enrique ha aprobado el examen de Medicina. Os podéis imaginar lo contentísimos que estamos. Todavía no nos lo podemos creer. De acuerdo con nuestros planes, vamos a visitaros en junio. Tenemos muchísimas ganas de veros. Os mandamos muchos besos para todos. Hasta pronto,

María

---

b) Ej.: Perdido en parque perro pastor alemán. Mañana 9 noviembre. Se gratificará. Tél. 502842.

A. *Fíjate qué pena, en el periódico dicen que han perdido a su perro.*
B. *¿Y cómo ha sido?*
A. *No dice nada; sólo que fue ayer por la mañana en el parque.*
B. *Me imagino que estaría dando un paseo y se le escapó. ¿De qué raza ponen que es?*
A. *Es un pastor alemán. No explican nada más. ¡Ojalá lo encontráramos nosotros!*
B. *Bueno, apunta el teléfono y vamos a dar una vuelta por los alrededores del parque a ver si tenemos suerte.*

3. Confeccionar un cartel o un folleto.

Ej.: Hay una serie de fotografías sobre el mismo tema: Castilla. (Las fotos se pueden sacar de cualquier folleto o puede que los alumnos quieran hacerlo con algunas de las que ellos mismos han sacado en sus viajes).

a) Se pegan en la pizarra y los alumnos escriben una frase para cada una de las fotos.
b) Después de formar los grupos, cada uno transforma una de las frases en un párrafo.

c) El título del artículo se pone entre todos.

d) Para terminar, se pegan las fotos en una cartulina, escriben los textos y ya tenemos el cartel.

4. Redactar un pequeño artículo partiendo de un titular de periódico.

5. Escribir cartas contestando a un anuncio del periódico. Lo más efectivo es llevar el periódico a clase y que sean los mismos alumnos los que escojan el anuncio que quieren contestar.

> Se busca estudiante extranjero, de lengua materna inglés, para hacer de canguro y hablar con los niños en inglés.
> Preferiblemente chica y de buena presencia.
> Libres los martes, jueves y domingos.
> Sueldo a convenir.
> Teléfono: 425792 (sólo noches)

6. Completar historietas. Con tiras de comics: borramos las palabras y los alumnos tienen que inventar los diálogos ayudándose con los dibujos.

7. Componer una pequeña redacción en la que tienen que incluir una serie de palabras respetando el orden en que se las entregamos.

Ej.: a. verde   b. caballo   c. fuego   d. despedirse   e. despacio.

Ésta sería una posible redacción:

Fue un sueño muy bonito. Estaba tumbada en una pradera llena de flores. Era primavera y el campo olía a **verde**. De repente vi aparecer a mi hermano montado a **caballo**. Me subí con él y galopamos hasta llegar a una casa. Una mujer nos abrió la puerta y nos invitó a entrar. Había un gran **fuego** donde cocinaba una especie de sopa. Al **despedirse** nos dijo que podíamos volver cuando quisiéramos. Nos fuimos alejando **despacio**, porque no teníamos prisa por marcharnos de aquel lugar tan encantador.

Cada grupo compondrá algo completamente diferente. A los alumnos siempre les gusta escuchar a los otros y resulta más ameno que oír una redacción que de antemano ya se sabe de lo que trata, que es lo que suele ocurrir cuando todos escriben sobre lo mismo.

Comentábamos antes que las actividades para la expresión escrita debían ser graduadas por dificultad, es decir, que al principio tuvieran que componer muy poco, que las ayudas fueran grandes y después cada vez más libres...

 ¿Te parece correcto el orden que hemos seguido o tú lo cambiarías?

APÉNDICE CAPÍTULOS 8, 9.

LA INTEGRACIÓN DE LAS DESTREZAS LINGÜÍSTICAS

1. ¿Te acuerdas de cuáles son las destrezas lingüísticas?

2. ¿Puedes pensar en un ejemplo para cada una de las destrezas que tenga lugar en la vida real?

3. ¿Por qué crees que las integramos?

4. ¿Qué destrezas se combinan más a menudo en la vida real?

5. ¿Qué diferencias puede haber entre trabajar las destrezas en clase por separado o integradas?

6. ¿Se te ocurre alguna actividad en la que estén integradas las cuatro destrezas?

Hasta aquí nos hemos ocupado de las destrezas lingüísticas por separado. Hemos tomado esta opción porque nos parecía que de este modo eran más fáciles de explicar y comprender. Sin embargo, son muy pocas las ocasiones en las que en la vida real ocurre así. Normalmente al menos dos de las destrezas se integran.

¿Puedes encontrar un ejemplo para cada destreza lingüística que se dé por separado en la vida real?

Queremos terminar esta sección dando algunos ejemplos de cómo se puede trabajar la integración de destrezas en clase. Empezaremos por la integración de dos, luego de tres y finalmente de las cuatro.

EXPRESIÓN ORAL / COMPRENSIÓN AUDITIVA

En la representación de cualquier diálogo los alumnos tienen que hablar y escuchar alternativamente.

Ej.: Los alumnos reciben unas tarjetas con pautas escritas o con dibujos. Tienen que improvisar mini-diálogos. Se irán alternando las preguntas y las respuestas.

1

A. ¿ ver / película Naranja Mecánica ?
B.
A. ¿ hoy / T.V. / apetecer?
B.
A. 10

A.
B. Sí / mucho tiempo
A.
B. ¿ 🕐 ?
A.
B. OK.

Primer diálogo:
A. *¿Has visto la película de "La naranja mecánica"?*
B. *Sí, pero hace mucho tiempo.*
A. *La ponen hoy en la tele, ¿te apetece verla?*
B. *¿A qué hora?*
A. *A las 10.*
B. *Vale, me parece muy bien.*

2 A.  B.

Segundo diálogo:
A. *¡Ay, qué rabia! Me acabo de acordar de que ayer se me olvidó echar la carta.*
B. *No te preocupes, yo salgo a las 3. Te la puedo echar yo.*

COMPRENSIÓN AUDITIVA / EXPRESIÓN ESCRITA

El mismo profesor/a o, si se prefiere, una grabación, cuenta una historia. Los alumnos escuchan y toman notas. Después tratan de recomponer la historia. (No es un dictado. El profesor/a o la cinta tienen una velocidad normal).

COMPRENSIÓN AUDITIVA / EXPRESIÓN ORAL / EXPRESIÓN ESCRITA

Los alumnos realizan un ejercicio de comprensión auditiva. El texto elegido es largo y por ello lo hemos dividido en varias partes. Cada alumno o grupo escucha sólo una de ellas y después la resume, pone por escrito y la explica a los demás.
(Cuando cada alumno lee algo diferente, normalmente hay más atención, ya que tienen que escuchar algo que les hace falta para complementar la información que ellos tienen).

COMPRENSIÓN ESCRITA / EXPRESIÓN ORAL / COMPRENSIÓN AUDITIVA

El siguiente artículo ha sido extraído de la revista *Muy Interesante*; describe la acción de un grupo radical (A L F) en contra de la experimentación con animales.
Contesta las preguntas oralmente:
1) ¿Qué es A L F?
2) ¿Dónde se creó la organización?
3) ¿Cuánto tiempo hace que existe?
4) ¿Qué tipo de acciones llevan a cabo?
5) ¿Cómo reaccionaron los responsables del centro de Pensilvania cuando el vídeo del mandril llegó al público?

ALF: EL TERROR DE LOS LABORATORIOS

El Frente para la Liberación Animal (ALF) aparece en la década de los 70, coincidiendo con el surgimiento en Inglaterra de los movimientos en defensa de los animales. Ante el caso omiso que les hacían los centros de investigación y las autoridades correspondientes, algunos grupos se radicalizaron, y sus actuaciones empezaron a ser salvajes, incurriendo en actos terroristas.

Los miembros del ALF son cautos y difíciles de localizar. Traen de cabeza a jueces y policías. Según el FBI, en Estados Unidos, el ALF - cuyos miembros han sido entrenados por sus colegas británicos - lo forman más de un centenar de personas que saben autodefenderse y están equipadas para llevar a cabo cualquier tipo de trabajo: desde asaltar un centro de investigación para liberar animales o grabar un experimento cruel, hasta prender fuego a unas instalaciones o colocar bombas.

Sin embargo, algunas de sus acciones son vistas con simpatía por la opinión pública. En 1984, ALF irrumpió en el Laboratorio Experimental de Lesiones Mentales de Pensilvania, donde trabaja el investigador Thomas Gennerelli. De allí sustrajeron una grabación de vídeo que recogía experimentos en los que científicos - sin mascarilla y fumando - ataban a un mandril a una silla y le ponían un casco de metal. Después, con un mazo, le propinaban golpes hasta la saciedad, presionándole la cabeza con un gato hidráulico.

Este proyecto recibía del estado cerca de 120 millones de pesetas al año. Cuando ALF mostró las imágenes al público, a los directivos de la universidad encargada del experimento "se les cayó la cara de vergüenza". Tuvieron que reconocer que los animales habían sido tratados de forma "inhumana".

(Revista *Muy interesante*)

Los alumnos forman dos grupos, A y B.

1) A/ Sois miembros de A L F: haced una lista de argumentos contra los experimentos con animales (por lo menos 5).

B/ Sois científicos: haced una lista de argumentos a favor de los experimentos con animales (por lo menos 5).

2) Organizad un debate sobre este tema. Un estudiante o el profesor/a puede participar como moderador.

LAS CUATRO DESTREZAS

Los alumnos organizan un viaje juntos. Primero deciden entre todos el destino, la fecha y todo lo que hay que hacer. Más tarde se reparten el trabajo. El profesor/a les habrá provisto de folletos informativos.

Grupo A. **Alojamiento:**

Tienen que decidir qué tipo de alojamiento quieren y después buscar la información en los folletos. Cuando lo han decidido, escriben una carta haciendo la reserva.

Grupo B. **Viaje:**

Tienen que decidir en qué medio de transporte viajarán. Buscan la información en los folletos y después escriben una carta para encargar los billetes.

Grupo C. **Actividades culturales y deportivas:**

Tienen que decidir qué van a hacer en las vacaciones. Necesitan información sobre los deportes que se pueden practicar y las actividades culturales con las que cuentan: cine, teatro, ópera, museos... Primero buscan la información y luego escriben lo que han decidido.

Grupo D. **Documentación sobre el lugar:**

Son los que se encargarán de recopilar la información sobre el clima, la geografía e incluso un poco de la historia, costumbres y tradiciones del lugar que van a visitar. Escriben un pequeño resumen.

Estos grupos, aunque trabajan de forma independiente, se van interrelacionando a medida que se van necesitando para continuar su trabajo.

El trabajo final puede ser un mural con fotografías y un resumen de la información recopilada y, por supuesto, si es posible... ¡el viaje a España!

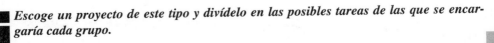

Escoge un proyecto de este tipo y divídelo en las posibles tareas de las que se encargaría cada grupo.

UNA HISTORIA DE AMOR. PRIMER CAPÍTULO

El sol se ponía tras el horizonte. La mar estaba en calma y el aire todavía era cálido después de un largo día de verano. Pablo estaba de vacaciones, sus estudios de Medicina en la universidad habían acabado por ese año. Era julio y pasaba el verano en la casa de sus padres, en la costa. Estaba aburrido de la piscina, del jardín, del tenis, en fin, de la gran casa. Los padres de Pablo eran muy ricos.
Andaba por la playa. De pronto la vio. Sentada en las rocas mirando hacia el mar. Su pelo largo, liso y castaño se movía ligeramente con la brisa del anochecer. Llevaba un vestido blanco. Su mirada era serena y tranquila pero una vaga tristeza se reflejaba en sus ojos. Era muy hermosa, la chica más hermosa que Pablo había visto en toda su vida. Su corazón latía con fuerza. Se acercó.
- ¡Hola! - dijo nerviosamente - ¿Puedo sentarme contigo?
Ella le sonrió.
- Sí - le dijo.
Se llamaba María, era hija de un pobre pescador del pueblo, tenía 18 años.
- No eres del pueblo - dijo ella.
- No, estoy de vacaciones en casa de mis padres, vivo en la ciudad- dijo él.
- Mi padre se enfadaría mucho si supiera que estoy aquí hablando contigo, odia a la gente de fuera, especialmente a los ricos de la ciudad.
Rieron mirándose a los ojos. Hablaron largo rato. Sabían que iban a pasar mucho tiempo juntos aquel verano.
- Debo irme - dijo ella tristemente - Mi padre se pondrá furioso si llego tarde.
- ¿Volveremos a vernos? - preguntó él.
- Lo veo difícil - contestó ella.
Bajó de las rocas y corrió hacia la pequeña casa de madera en la playa donde vivía, pero antes dio un beso a Pablo en la mejilla.
Él se quedó en las rocas mirando cómo ella se alejaba; se sentía feliz, más feliz de lo que nunca hubiera podido imaginar. A la vez, una extraña tristeza le inundaba, conocía los prejuicios de la gente del pueblo, y también los de su propia familia. Estaba enamorado, tenía que verla otra vez.

Completa esta información sobre los personajes:

ÉL

Su nombre...
Su edad..
Lugar donde vive....................................
Su casa..
Su familia..

ELLA

Su nombre...
Su edad..
Lugar donde vive....................................
Su casa..
Su familia..

Y ésta sobre el lugar, el tiempo y los sentimientos de ella y él:

La época del año.....................................
El tiempo que hace.................................
Lo que siente él......................................
....

La parte del día.......................................
Dónde se encuentran...............................
Lo que siente ella....................................
....

Ahora, más información sobre María y Pablo.

MARÍA

La madre de María está muerta y ella pasa todo su tiempo cuidando a su padre y haciendo los trabajos de la casa. Es hija única.

El padre de María es muy pobre y está amargado, realmente odia a la gente de fuera.

PABLO

El padre de Pablo tiene un gran negocio en la ciudad. Él querría que Pablo un día lo dirigiera. Pablo es hijo único. A su padre no le gusta nada que Pablo estudie Medicina.

El padre de Pablo es muy burgués, quiere que Pablo se case con una de las hijas de sus amigos, una chica de "buena familia".

PABLO Y MARÍA

Pablo y María se ven mucho durante el verano, cada vez que ella puede escaparse de casa.

Cuando llega septiembre y Pablo tiene que volver a la ciudad están los dos muy enamorados.

Quieren casarse y estar juntos para siempre.

El día antes de la partida de Pablo deciden ir a casa de María y contar a su padre todo lo ocurrido y que quieren casarse.

Representa un diálogo entre Pablo, María y el padre de María.
Ahora escribe el último capítulo de la historia, situándolo en un escenario concreto, como en el primer capítulo.
Antes de escribir, considera estos elementos:

La época del año.
El tiempo que hace.
La parte del día.
Dónde se encuentran.
Los sentimientos de él.
Los sentimientos de ella.
El tiempo que ha pasado desde el primer capítulo.
Lo ocurrido desde entonces.

¿Qué destrezas están incluidas en las siguientes tareas?
a) Representar una entrevista con el director de un banco para pedir un préstamo.
b) Un dictado.
c) Representar una entrevista de una persona que busca trabajo con el Jefe de Personal de una empresa. La supuesta oferta apareció una semana antes en un anuncio en el periódico.

CAPÍTULO
10.

LA CORRECCIÓN

1. ¿Qué significado tienen para ti los errores que cometen los alumnos?

2. ¿Qué tipo de errores cometen?

3. ¿Por qué se cometen esos errores?

4. ¿Qué crees que debes hacer con los errores según van apareciendo?

5. ¿Cómo corregir a los alumnos sin desanimarlos, sin oír que dicen: *No puedo, déjalo, es imposible. Soy incapaz. Nunca lo voy a aprender?*

6. ¿Cómo corregir sin imponer, sin amedrentar, sin hacer que el alumno se ponga rojo, pida perdón, se ponga más nervioso, deje de ser el centro de la clase por algo negativo que ha realizado?

7. ¿Qué puedes hacer para que el alumno acepte de una forma positiva sus errores, los analice y los trabaje?

8. ¿Cómo hacer los errores "democráticos", de todos?

9. ¿Qué hacen los demás alumnos mientras uno de ellos es corregido?

10. ¿Cómo hacer que los alumnos no sean desmoralizadores o autoritarios entre ellos a la hora de corregirse?

11. ¿Cuáles dirías que son tus propios errores como profesor/a? ¿Cómo piensas corregirlos?

L os errores en la historia de la enseñanza de lenguas han pasado por muy variadas consideraciones: desde ser vistos como algo totalmente negativo - eran fallos, muestras de la incapacidad para producir algo correcto - hasta definirlos como el único indicativo para analizar el proceso de aprendizaje de nuestros alumnos. Veamos a continuación algunos ejemplos de lo que los lingüistas han opinado a través de la historia.

"Como el pecado, el error será evitado y su influencia vencida; no obstante, su presencia será esperada". [1]
"Los errores son el resultado del continuo operar del que aprende una lengua con los hábitos derivados de la lengua materna". [2]
"Los buenos errores representan una positiva reestructuración parcial de la mente". [3]

Antes de entrar a analizar el tratamiento de los errores en el aprendizaje de una lengua, vamos a ver de qué tipo de errores hablamos y cuáles son sus posibles causas:

a) de gramática. Ej.: *He comprado este libro **para** 3 euros.*
b) de vocabulario. Ej.: *Ayer hubo una **demostración** para protestar contra las centrales nucleares.*
c) de pronunciación. Ej.: */lakápitaldeeitáljaesRoma/*
d) de registro. Ej.: *Distinguido director: No me he podido dirigir antes a usted debido al **mogollón** de trabajo pendiente.*
e) de ortografía. Ej.: *La veo con mucha **frequencia**.*
f) de comprensión.

Ej.:   Dependienta: *Son 2 euros.*
          Estudiante: *Tome.*
          Dependienta: *No, 3 no, 2.*
          Estudiante: *Perdón.*

¿Crees que hay errores de expresión que no están incluidos en esta lista? En caso afirmativo, ¿podrías poner un ejemplo?

No es suficiente con saber el tipo de error de que se trata. Deberíamos averiguar también la causa por la que se cometen estos errores, porque si sabemos la causa, seguramente podremos encontrar una solución. Nosotros vemos varias causas posibles, pero muchas veces no hay una sola, sino que el error es el resultado de un conjunto de ellas:

a) Interferencia de la lengua materna. Produce errores como: *Ayer **he visto** una película*

(1) Brooks. Citado por Hendrickson, J. *Error Analysis and Error Correction in Language Teaching.* Occasional Papers, n.º 10, 1981.
(2) Esta noción fue elaborada en la hipótesis del análisis contrastivo.
(3) Pertenece a la psicología del aprendizaje y la psicolingüística.

muy bonita (francés); *Estoy enamorado **contigo*** (inglés). Es difícil y arriesgado asegurar que estos errores son causados exclusivamente por esta interferencia, pero su repetida aparición en alumnos de estas nacionalidades nos hace pensar que tiene algo que ver.

b) Generalización. Ej.: *Comer, comido; beber, bebido; poner, **ponido**.*

c) Idea y/o regla equivocada. Se debe a que se la han enseñado mal o a que los alumnos han hecho una deducción que no era correcta. Ej.:
Alumno: *Estas Navidades iré a esquiar. Hemos alquilado una casa y ya he comprado los billetes de avión.*
Profesor/a: *¿No crees que sería mejor decir entonces "voy a ir a esquiar"?*
Alumno: *No, porque todavía está lejos, por eso he usado el futuro lejano y no el próximo.*
Profesor/a: *¿?*

▎*¿Cuál crees que es la diferencia entre "voy a ir a esquiar" e "iré a esquiar" en este ejemplo para el alumno y para el profesor/a? ¿Cuál es para ti?*

d) Falta de práctica. Los alumnos saben la regla, el concepto o la forma, pero todavía no les sale de forma automática y, de vez en cuando, se equivocan. Ej.: Alumno: *Soy de acuerdo, perdón, estoy de acuerdo. Es que siempre me equivoco.*

e) Cansancio, despiste.

f) Conocimiento de otras lenguas y comparación con ellas. Ej.: Un alemán que ha aprendido primero italiano puede decir: *Estoy **pronto** para ir a ver a mis padres.*

g) Comodidad. En ese momento no se quiere hacer el esfuerzo de pensar y se habla a un nivel más bajo del que se posee.

Hasta aquí hemos estado hablando del error. La forma más natural de tratar los errores parece ser corregirlos, por lo que ahora nos centraremos en la corrección a la que tradicionalmente se ha considerado "el remedio para ese mal".

Según la Real Academia de la Lengua CORREGIR es:
1. Enmendar lo errado.
2. Advertir, amonestar, reprender.

Esto es sólo una muestra de la carga negativa que conlleva la palabra "corregir". Nosotros debemos ayudar a nuestros alumnos a perder este miedo al error, porque es la mejor indicación que tenemos de lo que está pasando por las mentes de los alumnos. Podemos descubrirlo y analizarlo juntos. Para aprender una lengua hay que arriesgarse, jugar con ella, perderle el miedo y apostar.

¿Podrías dar una definición de error y otra de corrección?

Muchas veces la corrección tiene lugar inmediatamente después de que el alumno haya cometido una falta; sin darle tiempo a rectificar, el profesor/a se lanza hacia él proporcionándole la versión correcta. El alumno repite sin más y el profesor/a se siente satisfecho porque le ha ayudado a producir una muestra de lenguaje perfecta.

Ej.: Alumno: *Me dolió la cabeza y me tomé una aspirina.*
Profesor/a: *¡No, no! me dolía la cabeza y me tomé una aspirina.*
Alumno: *Me dolía la cabeza y me tomé una aspirina.*
Profesor/a: *Eso es, muy bien.*

¿Qué crees que ha pasado por la mente del alumno en el proceso de la corrección en el ejemplo anterior?

Es posible que el alumno supiera la versión correcta, pero que simplemente fuera un despiste. Al no darle tiempo para pensar y proporcionársela el profesor/a inmediatamente, nos hemos quedado sin saber si era realmente un error. También es posible que el alumno no lo supiera, pero que al darle la versión correcta, en ese momento sólo se preocupara de reproducirlo sin entender el porqué de su error. De esta forma volverá a aparecer una y otra vez.

Nos deberemos ocupar entonces de utilizar la corrección de una manera efectiva. A continuación señalamos unos posibles pasos que seguir:

1. Resaltar dónde hay una incorrección y de qué tipo se trata.

2. Brindar al alumno la oportunidad de autocorregirse.

3. Darle tiempo para producir de nuevo lo que quería expresar.
Ej.:   Alumno: *Me dolió la cabeza y me tomé una aspirina.*
        Profesor/a: *¿Me dolió?*
        Alumno: *Mmm, me ¿dolía?*
        Profesor/a: *¿Por qué crees que es dolía ahora y no dolió?*
        Alumno: *Pienso que es mi estado, mi situación, no una acción.*
        Profesor/a: *Ahora, ¿podrías darme otro ejemplo?*
        Alumno: *Sí, estaba cansado y me fui a casa.*
        Profesor/a: *Gracias.*

Piensa en dos situaciones fuera del aula en las que hayas sido corregido hace poco.
a) ¿Cómo te sentiste?
b) ¿Para qué crees que te sirvió la corrección?
c) ¿Crees que no vas a cometer el mismo error otra vez?

La siguiente pregunta que se nos plantea es en qué momento corregir, si es que hemos decidido hacerlo. El factor principal en la decisión que se va a tomar es el objetivo que tengamos en ese momento de la clase.

A- Si nuestro objetivo es ayudar al alumno a que adquiera más fluidez; si estamos trabajando para que "se suelte", entonces lo deberíamos animar a que estuviera más pendiente de lo que dice y no de cómo lo dice. Es natural que en esta fase se cometan muchos errores / deslices. Se está utilizando la lengua como un medio para expresarse y no como un fin en sí mismo. Además, si el profesor/a comienza a interrumpir y corregir, el alumno nunca adquirirá la confianza necesaria para "lanzarse a hablar".

Ej.: Al principio de la clase, para romper el hielo de los primeros momentos y con la intención de acercarnos un poco más a los alumnos:

Profesor/a: *Jürgen, ¿qué tal el fin de semana pasado? ¿qué hiciste?*
Jürgen: *El sábado en la mañana fui a la playa con mi amigos.*
Profesor/a: *Por la mañana, el sábado por la mañana. Con las proposiciones de tiempo se usa la preposición POR. Por ejemplo, POR LA MAÑANA; POR LA TARDE; POR LA NOCHE ...*

(Continúa la explicación gramatical y el pobre Jürgen se empieza a plantear si en algún momento el profesor/a había estado realmente interesado en su fin de semana como parecía querer demostrar).

Si charlando con un alumno él dice: ... me fastidia que hay tanta gente..., ¿cuál es tu primera reacción? ¿cuáles son las primeras palabras que dirías?

Con esto no tratamos de decir que debemos ignorar siempre los errores cometidos por los alumnos, por supuesto que no tiene por qué ser así. Mientras el alumno habla, el profesor/a anota los errores más importantes: lo que el alumno necesita, lo que ya se ha trabajado anteriormente. De este modo, gracias a las frases que ha producido y los errores cometidos, tenemos unos contenidos para trabajar. Ha sido el propio alumno el que ha decidido lo que necesita aprender para, bien al final de la actividad o bien en una clase posterior, trabajarlo juntos. La corrección se efectúa escribiendo las frases que han sido anotadas en la pizarra o en una hoja fotocopiada. Si la situación lo permite, en lugar de anotar los errores se graba a los alumnos para más tarde trabajar sobre la cinta.

Los alumnos se dan cuenta entonces de por qué el profesor/a no les corregía. Seguramente la próxima vez se aventurarán más a producir frases si saben que posteriormente sus problemas serán recogidos y trabajados.

Ej.: En un debate sobre las ventajas y desventajas que aporta el turismo a un país, un grupo de alumnos elaboró, entre otras, estas frases:

1. *Las turistas traen mucho dinero a un país.*

2. *Sólo algunas personas hacen dinero con el turismo.*

3. *La mayoridad de gente gustan personas de diferentes países.*

4. *Es mal para las tradiciones.*

5. *Hay intercambios de culturas y costumbres.*

El profesor/a las fue anotando según ellos iban hablando, y en la clase siguiente, cuando los alumnos entraron en el aula, estas frases estaban escritas en la pizarra. En parejas tenían que decidir cuáles eran correctas y cuáles no y después comentar lo que ellos creían que era incorrecto acompañado de una explicación.

En el caso de que el mismo error/tipo de error aparezca insistentemente, o que los alumnos no sepan detectar una incorrección entre todos, entonces el problema es más serio y general. Se debería dedicar una clase a tratar de nuevo este contenido.

Ej.: La frase número 3. Ningún alumno supo corregir la estructura: ...*gustan personas* ... . Esta estructura se ha trabajado ya en clase, pero ahora el profesor/a y los alumnos se dan cuenta de que necesitan dedicarle más tiempo. Se prepara una clase de repaso.

B- Si estamos trabajando la muestra de lenguaje por primera vez. Si nuestro objetivo es lingüístico, es decir, si esta vez el lenguaje: pronunciación, vocabulario, gramática, exponentes funcionales, es nuestro fin. Si queremos que los alumnos adquieran precisión, tendremos que corregir en estas actividades. Es importante corregir sólo lo que estamos trabajando, no desviar la atención del alumno ni sobrecargarlo con información o corrección sobre otros aspectos; hay que ser selectivos.

¿Qué piensas que ocurre si no corregimos en esta etapa?

Ej.: En una actividad en la que estamos trabajando la forma del pretérito indefinido.

Los alumnos están trabajando en grupo. Paseando por la clase preguntan a los compañeros lo que hicieron el fin de semana pasado, luego escriben la información en un cuestionario que están elaborando.

Paolo: *¿Qué hiciste el sábado por la noche?*
Evelyn: *Fue a un concierto.*
Profesora: *Evelyn, ¿fue?*
Evelyn: *No, no, eh ..., un momento, eh, yo, ¿fui?*
Profesora: *Sí.*

Una vez decidido que sí queremos corregir, qué aspectos y el momento en que lo queremos hacer, tenemos que plantearnos cómo lo hacemos. Estos serían los pasos que se van a seguir. (Aunque ya los hemos mencionado anteriormente, esta vez los escribiremos de forma más detallada y trataremos de resumir lo que hemos visto hasta ahora):

1. El alumno debe saber que se ha cometido un error.

2. Excepto en los casos en que, por alguna razón determinada, queremos que el alumno descubra también dónde está el error, normalmente se debe indicar dónde y qué tipo de error se ha cometido (género, acento, tiempo de verbo...). Tendremos que aislarlo primero y después resaltarlo. Hay muchas formas de conseguir este objetivo, pero quizás una de las más eficaces es "la corrección con los dedos".

Veamos algunos ejemplos:

Ej.: Un alumno pronuncia la palabra *lavadora* como *lavadera*.

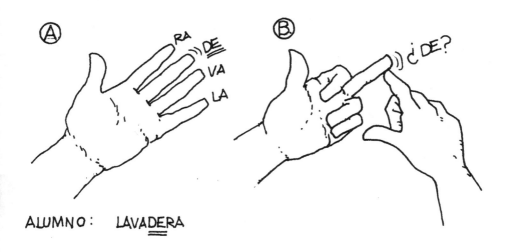

Cada dedo representa una sílaba o una palabra, depende de lo que nos interese. Lo importante es que los alumnos se familiaricen con nuestro código. Al principio, por la novedad de la técnica, les puede costar un poco. Los dedos nos pueden servir no sólo para resaltar la sílaba o palabra que queremos corregir, sino también para indicar que sobra o falta algo, que el orden no es correcto...

Es una técnica rápida, visual y limpia. No aparece más lenguaje en la corrección que el que nos interesa. El alumno se concentra en trabajar este único error.

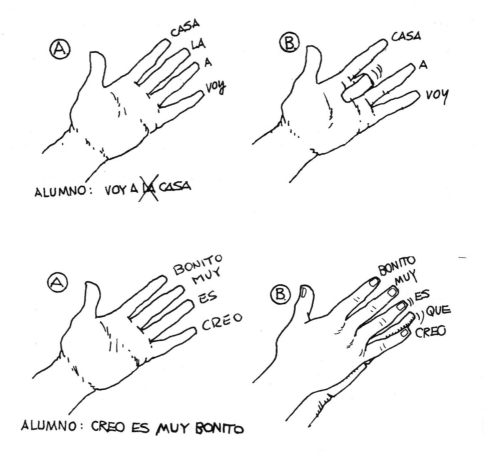

La corrección con los dedos no es la única que podemos utilizar. Hay otras técnicas:

- Resaltar el error utilizando una entonación ascendente.

Ej.:   Alumno: *Es mucha responsibilidad.*
              Profesor/a: *¿respon...?*
              Alumno: *¡Ah, ya!, responsabilidad.*

- Utilizar "pistas gramaticales", si los alumnos están familiarizados con la terminología gramatical, como: el adverbio, el género, la concordancia, pronunciación...

Ej.:   Alumno: *Lo he comprado para un euro.*
              Profesor/a: *Preposición.*
              Alumno: *"Para" no, entonces..."¿por?"*

- Omitir el error y dejar un vacío en su lugar.

Ej.:   Alumno: *Lo he comprado para un euro.*
            Profesor/a: *Lo he comprado... un euro.*
            Alumno: *Lo he comprado... ¡por! por un euro.*

3. El alumno trata de corregir su propio error.

Una vez que el alumno entiende el código de nuestra corrección, se realiza de una forma rápida. La corrección se convierte, entonces, no en una reprimenda, sino en una ayuda para que el alumno busque la forma correcta y aprenda al mismo tiempo. El profesor/a le ayuda, guía, pero es el alumno quien descubre y trata de solucionar el error. De esta forma, es más probable que lo aprenda y recuerde. La próxima vez el error se habrá convertido en un desliz que simplemente necesita tiempo para desaparecer y será más fácil pasar por el mismo proceso otra vez. Ahora necesita tiempo y práctica para que esto tenga lugar.

4. En el caso de que el alumno no pueda resolver el error él solo, se puede recurrir a los compañeros. Esta técnica es efectiva, pero en algunos casos un poco peligrosa. Todo depende de la relación que haya entre ellos. Si nadie puede ayudar al que ha cometido el error, significa que el error es más grave de lo que aparentemente parecía y que se debe volver al comienzo de la actividad. Es importante que se ayuden entre sí, porque entonces la clase se centra en ellos, se convierte en un grupo de alumnos aprendiendo juntos. El peligro que tiene es que no acepten la corrección de otro alumno que supuestamente sabe "tan poco como yo o menos". O que siempre sean los mismos alumnos los que no saben y los mismos los que corrigen.

Considerando que estás en una etapa en la que has decidido corregir, ¿qué pasos seguirías? Practica con otra persona la corrección de estas frases:

a) En invierno pongo muchas ropas.
b) Estoy enamorado contigo.
c) /nokierouvolveg/.
d) ¿Ves a esa casa? Es la mía.
e) Estoy en Palencia hace dos mesas.
f) Viajando se encuentra a mucha gente.
g) Señor Director: Sé que es usted un tío muy majo y que reconsiderará mi petición de aumento de sueldo.

Pero... ¿Cómo se sienten nuestros alumnos ante la corrección? He aquí algunos comentarios reales hechos por ellos.

¿Qué hacer ante estos comentarios? Es imposible generalizar. Cada grupo, cada alumno, cada situación es única y debe ser tratada como tal. No existen recetas. No obstante, sí que podemos ser conscientes de una serie de factores:

- La personalidad del alumno.

- La naturaleza del grupo.

- La relación entre los alumnos.

- La relación con el profesor/a.

- Las formas de aprendizaje.

- Los hábitos de aprendizaje con los que vienen los alumnos al curso.

- Las expectativas de los alumnos.

- Las necesidades de los alumnos.

(ver capítulo 1 para la explicación de estos factores).

Quizás la solución más acertada sea la discusión en la clase. De esta forma, tenemos la oportunidad de explicarles por qué corregimos en ciertos momentos y dejamos de hacerlo y de escuchar sus opiniones en otros. No hace falta que utilicemos nuestra terminología ni que los apabullemos con un discurso metodológico, sino simplemente que los escuchemos, que veamos cómo se sienten o se han sentido al ser o no ser corregidos, al ver a sus compañeros en la misma situación; qué opinan de nuestra forma de hacerlo. Seguramente ellos nos pueden dar sugerencias e ideas. Podemos llegar a un acuerdo como grupo y a otro a nivel individual, ya que lo que fácilmente puede ocurrir es que, debido a su diferente personalidad y manera de aprender, entre otras cosas, necesiten una corrección distinta. También podemos experimentar juntos, intentar analizar, descubrir la mejor forma que tienen de aprender, de corregirse.

Éstos son debates que se pueden plantear en clase, mejor no al principio del curso, sino en su desarrollo, cuando los alumnos hayan visto nuestra forma de trabajar y a ser posible después de una actividad práctica para tener una base sobre la que empezar a hablar.

Éste es un ejemplo del tipo de cuestionario que se puede plantear a los alumnos, bien de una forma oral e informal o, si se prefiere, de forma escrita.

CUESTIONARIO

1. ¿Crees que aprendes al ser corregido?

2. ¿Por qué crees que te cuesta librarte de ciertos errores?

3. ¿Cómo te sientes cuando te corrige el profesor/a?

4. ¿Cómo te sientes cuando:

a) otro compañero te corrige a ti?
b) tú corriges a otro compañero?

5. ¿Qué te gustaría más que te corrigieran:
a) pronunciación?
b) gramática?
c) otros?

6. ¿Hay algún momento en que preferirías no ser corregido?

7. ¿Qué piensas cuando oyes a un compañero decir algo -que tú crees- incorrecto y el profesor/a no le corrige?

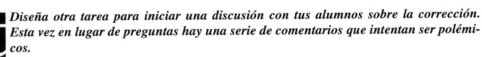

Diseña otra tarea para iniciar una discusión con tus alumnos sobre la corrección. Esta vez en lugar de preguntas hay una serie de comentarios que intentan ser polémicos.
Ej.:
a) Me gusta que el profesor/a me interrumpa siempre que cometo un error. Si no lo hace, nunca sabré cuándo estoy hablando correctamente.

Vamos a terminar el capítulo asignándote una tarea más que te ayudará a analizar cómo realizas tú mismo la corrección:

Observa, si tienes oportunidad, a otro compañero, o haz que te graben o filmen a ti en una de tus clases durante quince minutos. Deben anotarse todos los errores que cometan los alumnos. En el momento de analizarlo, concéntrate en cómo se ha realizado la corrección y discute:

a) qué errores deberían haber sido corregidos y cuáles no,
b) si los errores han sido debidamente resaltados y aislados,
c) si se ha dado al alumno la oportunidad de autocorregirse.

CAPÍTULO

11.

LA PROGRAMACIÓN Y PLANIFICACIÓN DE CLASES

1. ¿Cuál es tu objetivo principal al enseñar español?

2. ¿Quién decide qué es lo que enseñas?

3. ¿Por dónde empiezas a enseñar?

4. ¿Qué se debe incluir en una programación?

5. ¿Cuál es el eje alrededor del cual se engarza el lenguaje?

6. ¿Qué te gusta y qué no te gusta de tu libro de texto?

7. ¿Cómo empiezas a planificar una clase?

8. ¿Cómo puedes improvisar?

H asta ahora nos hemos dedicado más a lo largo del libro a la metodología, es decir, a **cómo** se realiza el proceso de enseñar y no a **qué** enseñar, ya que éste no es un libro dedicado al análisis de la lengua. No obstante, hemos creído oportuno dedicar un capítulo a la programación y a analizar de qué forma podemos organizar los contenidos, cómo decidir qué incluir, cuándo y cómo.

¿Estás contento con tu programación?
¿Quién la ha decidido?
¿La podrías cambiar?

PROGRAMACIÓN GLOBAL

El primer paso es la programación del curso completo, a la que podemos llamar *programación global*. Muchas veces no tenemos nada que ver en su confección: el centro escolar, un examen externo o un libro de texto lo deciden por nosotros. Estas programaciones pueden ser de diversos tipos, pero, en última instancia, los contenidos son similares. La gran diferencia reside en el modo en que estos contenidos son agrupados; de acuerdo con esto, existen varios tipos de programación. A continuación, señalamos las más representativas:

1. Estructural.
El eje es la sucesión de los elementos gramaticales, ordenados con una progresión de dificultad.
Ej.:　　　- los diminutivos
　　　　　- las formas irregulares del presente de subjuntivo
　　　　　- préterito imperfecto de subjuntivo
　　　　　- estilo directo e indirecto
　　　　　- etc.

2. Funcional.
El eje es una agrupación y secuencia del lenguaje, según la utilización del mismo.
Ej.:　　　- expresar gustos
　　　　　- sugerencias
　　　　　- invitaciones:　　• aceptar /quedar
　　　　　　　　　　　　　• rechazar ｜ excusas
　　　　　　　　　　　　　　　　　　 disculpas
　　　　　- quedar con alguien
　　　　　- disculparse
　　　　　- etc.

3. Nocional.
El eje son los distintos elementos conceptuales utilizados en la comunicación verbal.
Ej.:　　　- existencias
　　　　　- espacio / tiempo
　　　　　- cuantificación

- relaciones temporales
- etc.

4. Temática.

El eje es una secuencia de campos semánticos en torno a los cuales construimos el lenguaje.

Ej.:
- el hogar, la casa
- el tiempo atmosférico
- la ciudad
- el trabajo
- etc.

5. Situacional.

El eje son una serie de circunstancias en las que el estudiante se puede ir encontrando al visitar el país cuya lengua está aprendiendo.

Ej.:
- en un bar
- en un hotel
- en una tienda
- en el médico
- etc.

6. Lexical.

El eje es el vocabulario que, según el criterio que se siga, se considera que el alumno va a ir necesitando. Que nosotros sepamos, no existe en España ninguna programación de este tipo, pero sí en otros países, como un proyecto llevado a cabo por la universidad de Birmingham.

7. Enfoque por tareas.

El eje son las necesidades que van teniendo nuestros alumnos a partir de unos proyectos que van creando ellos mismos durante el curso.

Ej.:
- programa de radio
- creación de un periódico
- etc.

Ésta no pretende ser una lista exhaustiva de los tipos de programaciones, sino sólo una lista de las más conocidas y usadas.

Teniendo en cuenta que todos los contenidos se encuentran en todas las programaciones, aunque con diferente agrupación y etiqueta, ¿en qué tipo de programación aparecerían los siguientes contenidos así expresados?

"Por" y "para"   *Pedir permiso*   *En la estación*
Aumentativos y demostrativos   *La comparación*   *Aconsejar*
Buscando trabajo   *Vacaciones*   *El verbo gustar*

Animales　　　*Revistas*　　　　*Fiesta (comprar, invitar, etc.)*　　　*La finalidad*
Comida (dónde comprarla, horarios, características de la comida, variedades regionales, etc.)

Abre tu libro de texto, ¿qué tipo de programación crees que sigue?

Desde hace unos años se habla constantemente de "lo comunicativo". Pero, ¿qué es en realidad "lo comunicativo"? ¿Es un método, una programación o qué? Desde nuestro punto de vista, "comunicativo" es un enfoque. Mi objetivo al enseñar español es preparar a mis alumnos para usar el lenguaje como medio de comunicación y no como fin en sí mismo. Para ello tendremos que simular en la clase el uso comunicativo de la lengua y practicarlo. Lo que intentamos hacer es ayudar a desarrollar la competencia comunicativa de nuestros alumnos.

En contrapartida, un enfoque "no comunicativo" supone que el lenguaje es el objetivo mismo y se asume que, una vez que se domina este lenguaje, la comunicación tendrá lugar de forma automática sin necesidad de trabajarla directamente. De esta manera se trabaja el lenguaje como objetivo principal y no como se utiliza en la comunicación real.

En resumen, todos los tipos de programación mencionados anteriormente pueden ser comunicativos y no comunicativos. Aunque algunas programaciones favorecen la comunicación más que otras, el resultado depende, en gran parte, del enfoque que nosotros le demos.

Libro de texto

Como ya hemos mencionado, muchas veces es el libro de texto el que nos impone la programación. Creemos que es el momento de dedicar nuestra atención a "estos poderosos elementos" que parecen regir nuestro destino como profesores. ¿Quién no ha oído comentarios del tipo: *Ya, a mí también me gustan mucho estas actividades comunicativas, pero, si las pongo en práctica, entonces no tengo tiempo de terminar el libro?* o *En mi libro esto viene antes de lo otro. A mí no me gusta así, pero ¿qué le vamos a hacer?*

¿No debería ser al revés?, ¿no debería estar el libro a nuestro servicio y no nosotros al servicio del libro? De esta forma, cuando empecemos a programar, primero tendremos en cuenta las necesidades de nuestros alumnos (mediante test o actividades, capítulo 1) y luego veremos dónde el libro puede ayudarnos a cubrirlas.

El utilizar libros de texto tiene sus ventajas y sus inconvenientes: vamos a mencionar algunos de ellos.

Inconvenientes

- Muchas veces hacen que los alumnos vean la lengua en partes y no integrada, por ejemplo: la lección 9, "El pretérito perfecto"; la lección 5, "Los adjetivos posesivos"...

- Se pasan rápidamente de moda, tanto el lenguaje como los temas pueden dejar de ser actuales.
- Pueden llegar a dominar el curso.
- No están concebidos para un alumno o grupo en particular, por lo que es improbable que puedan cubrir las necesidades y atender los gustos de los que lo están trabajando en ese momento.

¿Es realmente negativo todo respecto a los libros de texto?

Ventajas

- Los alumnos los compran y los quieren usar en el aula y como consolidación en casa.
- Les dan seguridad y continuidad. No son una serie de fotocopias y notas que son más fáciles de desordenar o perder.
- Son un ahorro de tiempo para el profesor/a, que no necesita confeccionar ni la programación ni el material.
- Son muy útiles para estudiar y repasar en casa.

Analicemos nuestro libro de texto, aquél que estamos utilizando o pensamos utilizar. ¿Qué es lo que debemos buscar en él? ¿Cuál es el criterio que podemos seguir? Aquí hay una propuesta de análisis. La siguiente ficha puede ayudarte para ir anotando lo que descubras.

TÍTULO / AUTOR / EDITORIAL / FECHA

Nivel: ....
Tipo de alumno al que va dirigido: ....

	SÍ	NO
Componentes:		
- Libro del profesor	☐	☐
- Libro del alumno	☐	☐
- Libro de ejercicios	☐	☐
- Cintas	☐	☐
- Vídeo	☐	☐
- Otros	☐	☐
Contiene:		
- Listas de vocabulario	☐	☐
- Cuadros gramaticales	☐	☐
- Índices	☐	☐
- Lista de contenidos	☐	☐
- Soluciones a los ejercicios	☐	☐
- Actividades de ayuda para el autoaprendizaje	☐	☐
- Material auténtico	☐	☐

	SÍ	NO
Los temas son:		
- Actuales	☐	☐
- No racistas o sexistas	☐	☐
- Interesantes	☐	☐
Presentación:		
Atractiva (colores, dibujos, fotos, formato, etc.)	☐	☐
- Fácil de seguir para el profesor/a y los alumnos	☐	☐
- Monótona	☐	☐
- Material visual explotable	☐	☐
Organización lingüística del libro:		
- Estructural	☐	☐
- Funcional	☐	☐
- Otras	☐	☐
Lenguaje del libro y del material grabado:		
- Sexista	☐	☐
- Actual	☐	☐
- Formal	☐	☐
- Buen análisis de la lengua	☐	☐
- Buena selección	☐	☐
- Repaso	☐	☐
- Natural	☐	☐
- Variedad de registro y estilo	☐	☐
- Bien contextualizado	☐	☐
Destrezas lingüísticas:		
-Hay equilibrio	☐	☐
-Hay demasiado trabajo en ellas	☐	☐
Trabajo sobre pronunciación.	☐	☐
Equilibrio entre fluidez y precisión.	☐	☐
Las actividades:		
- Son variadas	☐	☐
- Son comunicativas	☐	☐
Hay repaso o integración de lo que se va trabajando.	☐	☐

Al evaluar el libro tendremos dos posibles opciones: que nos guste o que no. Si no nos gusta puede suceder que...

1. Esté en nuestras manos escoger o cambiar el libro de texto.

2. No tengamos opción ni elección. Sin embargo, siempre podemos decidir cómo usarlo y **omitir, añadir** o **modificar** todo aquello que nos parezca conveniente.

Omitir

1. Aquello que nuestros alumnos no necesitan o que no nos gusta. Por ejemplo, algunos ejercicios donde, para practicar una estructura, tengamos que presentar todavía más vocabulario, creando una nueva dificultad y desviando el foco de atención de la estructura que era nuestro objetivo.

2. Textos cuyos temas no interesan a los alumnos con los que trabajamos en ese momento.

3. Ejercicios de repetición totalmente exentos de significado o descontextualizados.

Añadir (bien de otros libros o de otro material)

Lo que nuestros alumnos necesitan y no está. Por ejemplo, más práctica oral en parejas, material auténtico, textos con temas actuales que les interesen, actividades comunicativas que creen interacción, grabaciones, apoyo visual, juegos, etc.

Modificar

Adaptar los ejercicios para personalizarlos o cambiar el orden establecido en el libro. A continuación vemos dos ejemplos de cómo se pueden modificar los ejercicios.

Ejercicio número 1

Ej.: Escribe según el modelo.
a) *¿Has estado en Latinoamérica?*   *No, todavía no he estado.*
                                            Sí, ya he estado.

b) *¿Has leído "La casa de los espíritus"?*
c) *¿Has montado en avión?*
d) *¿Has visitado unos baños turcos?*
e) *¿Has visto un eclipse?*

Este ejercicio se podría modificar de la siguiente manera:

Crearemos una actividad en la que todos los alumnos participen. Tienen que levantarse y preguntar a sus compañeros si han hecho esas cosas o no. Cuando encuentran a uno que responde afirmativamente, escriben su nombre y pasan a la siguiente pregunta. Cuando tienen todas las preguntas contestadas se van sentando.

Esta actividad, a la que llamamos "cuestionario", puede realizarse con la mayoría de los ejercicios de repetición que aparecen en los libros.

El cuestionario quedaría así:

CUESTIÓN	NOMBRE
Leer "La casa de los espíritus"	
Montar en avión	
Visitar unos baños turcos	
Ver un eclipse	

Ejercicio número 2

Ej.: Lee el esquema de la vida de Carmen Oteiza y contesta a las preguntas.

Nombre: Carmen Oteiza.
Fecha de nacimiento: 14-08-58.
Lugar de nacimiento: San Sebastián.
Septiembre 75/junio 80: Universidad de Derecho.
Enero 81/diciembre 81: Estancia en EE.UU.
Marzo 82/octubre 89: Puesto de trabajo en una compañía en Madrid.
Agosto 84: Conoce a Juan en una conferencia.
Julio 86: Luna de miel en Tenerife.
Mayo 87: Nace su primera hija.
Octubre 89: Traslado a Estrasburgo.

1. ¿Cuánto hace que está casada?

2. ¿Cuándo se fue a EE.UU.?

3. ¿Desde cuándo conoce a Juan?

4. ¿Desde cuándo vive en Estrasburgo?

5. ¿Cuánto tiempo hace que trabaja en la compañía de Madrid?

Carece de motivación contestar a estas preguntas puesto que pocas veces preguntamos lo que ya sabemos. Este tipo de ejercicios puede convertirse en los llamados "vacíos informativos".

La ventaja es que el material ya está confeccionado, todo lo que tenemos que hacer es manipularlo y adaptarlo un poco. Nos podemos ayudar con fotocopias, recortándolas, borrando parte del texto o utilizando los dibujos que acompañan al texto de una forma totalmente diferente.

Ejemplo de trabajo en parejas:

○	ALUMNO A NOMBRE: Carmen Oteiza. FECHA DE NACIMIENTO: _____ LUGAR DE NACIMIENTO: San Sebastián. Enero 81/diciembre 81: _____ Marzo 82/octubre 89: Puesto de trabajo en una compañía en Madrid. Agosto 84: _____ Julio 86: Luna de miel en Tenerife.
○	Mayo 87: _____ Octubre 89: Traslado a Estrasburgo.

○	ALUMNO B NOMBRE: _____ FECHA DE NACIMIENTO: 14/08/58. LUGAR DE NACIMIENTO: _____ Enero 81/diciembre 81: Estancia en EE.UU. Marzo 82/octubre 89: _____ Agosto 84: Conoce a Juan en una conferencia. Julio 86: _____
○	Mayo 87: Nace su primera hija. Octubre 89: _____

PROGRAMACIÓN PARCIAL

Después de haber analizado la programación global tendremos que empezar a ser más concretos si no queremos perdernos. Para ello, dedicaremos algún tiempo a la programación que nosotros llamamos parcial. Ésta es la especificación en secuencia y tiempo, dependiendo de la programación global (en un corto período de tiempo, como una semana) de las actividades que contribuyen a conseguir los objetivos fijados en la programación global.

Dos características importantes que debería tener esta programación parcial son:
1. Coherencia. Una programación parcial no es una agrupación de clases sin más. Es algo que sigue una dirección que hemos decidido previamente, donde todo encaja y está integrado de una forma progresiva.
2. Variedad y equilibrio de los elementos que componen la programación; todos deben tenerse en cuenta y adecuarse a las necesidades de nuestros alumnos. Somos conscientes de que esto se puede hacer mucho mejor cuando se conoce al grupo de antemano; pero incluso antes de conocerlo se puede tomar una serie de decisiones generales (un caso excepcional, por supuesto, en las programaciones parciales es el caso de enseñar español con finalidades específicas, como el español comercial).

Lo que debemos tener en cuenta a la hora de hacer una programación es:
a) Las destrezas lingüísticas (expresión oral y escrita y comprensión escrita y auditiva).
b) El lenguaje:

- receptivo y productivo
- la pronunciación y la ortografía
- el vocabulario
- las estructuras gramaticales
- las funciones.

c) La fluidez y la precisión.
d) Las actividades que empleamos para presentar y practicar.
e) El material.
f) La dinámica del grupo.
g) El equilibrio entre el lenguaje nuevo que se presenta y el que se practica y repasa.

¿Cómo se confecciona una programación parcial? Todo depende de para quién confeccionemos esa programación por escrito: para nosotros, para los alumnos o para entregar al centro. Si es para los alumnos tendremos que prescindir de terminología que ellos no pueden entender. Si es para el centro tendremos que especificar absolutamente todo; si, en cambio, es para nosotros, no tendremos que especificar tanto.

Veamos un ejemplo de programación parcial:

Nivel: Elemental
Nº de alumnos: 20 (Son un grupo multilingüe y heterogéneo en edades, necesidades y culturas).
Horario de clases: 4 clases de 90 minutos, dos veces por semana.
Lugar: Fuera de un país hispanohablante.

PRIMERA SEMANA:
LUNES:
- Vocabulario sobre actividades relativas al fin de semana y al ocio en general.
- Planes: Ir a + infinitivo.
- Ejercicio de comprensión escrita: Folleto informativo sobre una ciudad.
- Ejercicio de expresión escrita: Confección de un cartel en grupos sobre una ciudad imaginaria.

MIÉRCOLES:
- Comprensión escrita: Familiarizarse con material auténtico: periódicos, Guía del Ocio, revistas informativas.
- Introducción de la función de invitación: invitar, aceptar/rechazar, excusas/disculpas, quedar.

SEGUNDA SEMANA:
LUNES:
- Lenguaje relativo al teléfono.
- Comprensión auditiva: Trabajar sobre mensajes telefónicos.
- Trabajo sobre registro: Formal e informal en el teléfono.

MIÉRCOLES:
- Repaso con un juego de lo visto los tres días anteriores.
- Dictado para tomar mensajes.
- Representación de conversaciones telefónicas.
- Expresión escrita, consolidando y recogiendo todo lo visto en estos cuatro días.

Ésta es la programación para dos semanas. Es un bloque compacto que nosotros hemos diseñado.

LA PLANIFICACIÓN

Ahora deberemos prestar atención a cada clase en particular, pensar en los pasos que vamos a dar y en cómo lo vamos a hacer, analizar y seleccionar el lenguaje que vamos a trabajar, las actividades, el material, el tiempo, etc.

Es imposible definir una buena clase, dar un modelo, decir en qué tiene que consistir, cuáles son los elementos. Depende de muchos factores: frecuencia, lugar, número de alumnos y sus necesidades, nivel, circunstancias, personalidad del profesor/a y del grupo, etc.; pero sí podemos decir que, en general, el alumno debe:
- Saber en todo momento qué hace.
- Por qué está haciendo lo que está haciendo.
- No tener nunca la sensación de estar perdiendo el tiempo.

En la planificación de una clase hay muchos factores que debemos tener en cuenta. La especificación de éstos sobre el papel dependerá, como hemos dicho antes, de para quién es ese plan de clase, pero siempre los tendremos en cuenta: los escribamos o no. Si planificamos de atrás hacia delante, es decir, si pienso en lo que quiero que mis alumnos sean capaces de hacer al final, entonces sabré más fácilmente qué necesitan paso por paso.

Ésta es una propuesta de plan de clase:

---

1. Objetivo principal: ....
   Objetivos secundarios: ....
2. Número de alumnos: ....
3. Lo que se ha hecho en la clase anterior y lo que se va hacer en la próxima clase...
4. Lo que suponemos que saben y son capaces de hacer. Lo que tenemos en cuenta..
5. Tiempo...
6. Anticipación de problemas y posibles soluciones.................................
7. Qué procedimientos vamos a seguir: qué actividades, qué ayudas............

De esta lista decide qué son objetivos, suposiciones, problemas anticipados, soluciones y actividades.
1) Saben vocabulario relativo a las partes del cuerpo.
2) Los alumnos toman los papeles de médico y paciente y representan un pequeño diálogo.

3) Los alumnos colocan tarjetas con los nombres de las partes del cuerpo sobre un dibujo del cuerpo humano que está en la pizarra.
4) Rellenar espacios con los verbos en el tiempo adecuado.
5) Que sean capaces de expresar su estado de malestar.
6) Que aprendan a utilizar, a través del verbo "doler", los verbos pronominales.
7) Los alumnos ya saben los verbos reflexivos.
8) Va a haber confusión con los pronombres "le" y "se" de las formas: "le duele" y "se lava".

Si seguimos con el modelo que dimos para la programación parcial, el plan de clase para el miércoles de la segunda semana resultaría algo así:

OBJETIVO PRINCIPAL: Que sean capaces de invitar y aceptar o rechazar una invitación.

OBJETIVOS SECUNDARIOS:
- Familiarizarlos con el material auténtico donde pueden encontrar información real sobre las actividades que pueden hacer los fines de semana, y que sean capaces de extraer esa información.
- Ayudarlos a seleccionar la información que les interesa de un discurso.
- Ayudarlos a desarrollar sus estrategias comunicativas para cuando les falte alguna palabra.
NIVEL: Elemental.
DURACIÓN: 90 minutos.
SUPOSICIONES:
- Conocen suficiente vocabulario sobre actividades de ocio.
- Conocen la estructura "ir a + infinitivo".
- Están acostumbrados a hacer mímica.
MATERIAL:
- Material auténtico (periódicos, revistas, Guía del Ocio, etc.).
- Una serie de tarjetas con dibujos de diversas actividades.
- Cinta.
PROBLEMAS Y SOLUCIONES:
- Falta de vocabulario, para lo que utilizaremos mímica.
- Desconocimiento de las abreviaturas en el material auténtico, por lo que empezaremos por trabajarlas.
PROCEDIMIENTO:
1.
a) Tienen que buscar las distintas secciones del periódico y hacer una lista (ej.: política, deportes, cartelera, etc.).
b) Tenemos que trabajar las abreviaturas (ej.: V.O., s/n, etc.) y el nuevo vocabulario (ej.: sesión continua, día del espectador, esquina con, venta anticipada, no recomendada, etc.).
c) Tienen que escoger lo que les gustaría hacer el fin de semana.
2. Presentación del lenguaje de la función de invitar, a través de una situación que el profesor/a va creando en la pizarra con los alumnos.

Ej.: Eloísa (dibujo de una chica) trabaja en una oficina, es su cumpleaños y hace una fiesta en casa. Invita a varios compañeros y también al jefe.
a) Con Jaime hay una relación de flirteo.
b) Nuria es su íntima amiga.
c) Paco es el jefe.

a) Diálogo con Jaime.
- *¿Qué haces el próximo fin de semana?*
- *Nada especial, ¿por qué?*
- *Doy una fiesta en casa, va a venir mucha gente y ... **¿Quieres venir?***
- ***¡Ah, estupendo!***

b) Diálogo con Nuria.
- *El próximo sábado hago una fiesta en casa, **¿te apetece venir?***
- *Ay, **lo siento, pero tengo que** cuidar a los niños de mi hermana.*

c) Diálogo con Paco, el jefe.
- *Quería decirte que el sábado doy una fiesta en casa, **¿te gustaría venir?***
- ***¡Qué bien! Sí, me gustaría mucho.***

3. Practicar lo presentado anteriormente con una serie de tarjetas donde hay unos dibujos que representan diversas actividades. Estas tarjetas actúan como pistas para que los alumnos hagan frases del tipo:

- *¿Te apetece ir a tomar una copa?*
- *Ay, lo siento, pero tengo que irme a casa.*

En cuanto los alumnos entienden el mecanismo de la actividad, el profesor/a se retira y son los alumnos los que manejan las tarjetas.

4. Comprensión auditiva. Escuchan cuatro diálogos y completan el gráfico.

	DÓNDE ESTÁ	ACEPTA (SÍ O NO)	HORA
1.			
2.			
3.			
4.			

La confección de este tipo de plan de clase puede parecer una tarea innecesaria y demasiado laboriosa; no obstante, al principio es conveniente. Luego, con la experiencia, será menos detallado. Este plan de clase nos sirve para:
- Reflexionar antes de la clase.

- Consultar durante la clase.
- Clasificar las clases posteriormente.

Dado que estos planes los utilizamos también para archivar nuestras clases, es importante dejar un espacio en blanco para anotar comentarios después de que la lección haya tenido lugar: qué es lo que ha ido mal, cómo habíamos calculado el tiempo, qué problemas han surgido con los que no contábamos, etc.

La planificación de una clase no supone que nos tengamos que remitir a lo que hemos planificado. Nuestros alumnos y sus necesidades son lo más importante. Por ello, si la clase empieza a llevar otra trayectoria, tendremos que olvidarnos del plan de clase y seguirlas.

Lo que puede pasar es que tengamos que improvisar. Veamos algunos de los problemas más posibles y comunes y algunas de las soluciones que les podríamos dar. Todo esto es muy relativo. No hay recetas mágicas que funcionen en todo momento con todos los profesores y grupos. Desgraciada o afortunadamente, según se mire, lo que puede pasar dentro de una clase es imprevisible. No hay dos clases iguales. Mucho depende de nuestra capacidad para tomar decisiones. De todas formas, cuando tengamos problemas, la mejor solución es relajarse y ser natural y espontáneo. No somos perfectos. Muchas veces somos nosotros los que creamos la tensión y las complicaciones. Cuando las cosas van mal, lo mejor es ser honestos y hablar con nuestros alumnos, ellos nos comprenderán.

PROBLEMA
Un alumno hace una pregunta que se sale completamente de nuestro plan de clase.

POSIBLE SOLUCIÓN
Aquí entra nuestra capacidad de decisión. Consideraremos:
- Si los demás alumnos están interesados en que la pregunta sea contestada.
- Si puedes o sabes contestarla. Si no, lo mejor es decir que quieres o que tienes que prepararla en casa y que la contestarás al día siguiente (pero ¡¡hazlo!!).
- Si es el momento apropiado o es mejor terminar lo que se está haciendo y luego volver a ello.

Hay que estar preparado también para decir que "no", o "no sé" o "no quiero"; ahora bien, siempre explicándoles por qué lo haces.

PROBLEMA

Te das cuenta de que sólo una parte de la clase puede llevar a cabo lo que tú habías planeado. Los demás están perdidos.

Si vuelves a explicarlo, los que ya lo saben sienten que están perdiendo el tiempo.

POSIBLE SOLUCIÓN

Quizás sería mejor si:

- Das la oportunidad a los que ya lo han entendido de hacer algo diferente mientras tú te dedicas a seguir trabajando con los otros.
- Se lo explican entre ellos. El convertirse en profesores les sirve para consolidar lo que acaban de aprender y también para crear más ambiente de grupo.

PROBLEMA

Descubren que ya saben o que ya han hecho ese ejercicio o actividad. También puede ocurrir todo lo contrario, es decir, que sea demasiado difícil, que sea imposible realizarlo porque necesitan saber alguna otra cosa antes.

POSIBLE SOLUCIÓN

Ésta es la principal razón por la que utilizamos la técnica del sondeo antes de presentar nuevo lenguaje y así descubrimos lo que ya saben. Se puede hacer el día anterior y, de esta forma, preparamos mejor la clase o inmediatamente antes de la presentación.

Ej.: Si quiero presentar vocabulario sobre las partes del cuerpo, antes de comenzar a presentarlo podemos preguntar: *¿qué es esto?*, *¿y esto?* o diseñar una actividad donde hay un dibujo con flechas apuntando a las diferentes partes del cuerpo. Los alumnos deben escribir las que ya conocen. Hay que tener en cuenta que, aunque entre todos sepan diez palabras, esto no quiere decir que todos sepan esas diez palabras. Es una buena oportunidad para que se las enseñen unos a otros.

Puede ocurrir entonces que nos demos cuenta de que lo que hemos preparado ya lo saben y no merece la pena hacerlo. Sin embargo, se ha arruinado nuestro plan de clase ¿Qué podemos hacer? Lo mejor es olvidarnos de ello, ser sinceros, decírselo y hacer algo completamente diferente, pero, ¿qué? Bueno, podemos tener siempre un par de actividades "por si acaso", actividades que se acoplan a diferentes niveles y para las que no necesitamos ningún tipo de material, es decir, que se pueden improvisar en cualquier momento.

1. Un juego. Yo pienso una profesión y ellos la tienen que adivinar. Sólo puedo decir "sí" o "no" (a veces se permite dar alguna pista. Las reglas dependen de nosotros, de lo que acordemos de antemano con el grupo).

Ej.: (Camarero).

Alumnos: *¿Es un trabajo intelectual?*
Profesor/a: *No.*
Alumnos: *¿Llevas uniforme?*
Profesor/a: *A veces.*
Alumnos: *¿Necesitas ir a la universidad?*
Profesor/a: *No.*
Alumnos: *¿Trabajas dentro de un edificio?*
Profesor/a: *No siempre, a veces salgo y entro.*
Etc.

Este mismo juego se puede hacer con:

- Personajes famosos:
¿Está vivo?
¿Es español?
¿Es un actor?
¿Es alto?
Etc.
- Con objetos:
¿Es grande?
¿Redondo?
¿De plástico?
¿Sirve para escribir?
Etc.

2. Un dictado para consolidar lo que hemos hecho el día anterior.

3. Contarles una historia real o un cuento.

4. Aprovechar ese día para repasar. Se divide la clase en grupos que tienen que confeccionar unas preguntas sobre lo que se ha visto en los últimos días. Luego se monta una competición en la que el profesor/a es el árbitro. Mientras confeccionan las preguntas los alumnos ya están repasando, pues no pueden preguntar algo que no saben.

PROBLEMA

Los alumnos no entienden la explicación, las instrucciones o el ejercicio, por lo que es inútil repetir una y otra vez.

POSIBLE SOLUCIÓN

Habrá que hacerlo de otra forma diferente. Utiliza ejemplos distintos, la traducción, ayudas visuales, etc. Si siguen sin entenderlo, déjalo. Quizás todos estemos bloqueados, acéptalo. Podemos volver al mismo tema más tarde o al día siguiente.

PROBLEMA

Te quedan sólo cinco minutos y todavía no has terminado lo que tenías preparado.

POSIBLE SOLUCIÓN

No intentes "terminarlo como sea". De este modo, acabarás dando la clase para ti y no servirá de nada, ya que tendrás que volverlo a trabajar posteriormente. Déjalo y cuando termine la clase analiza por qué ha ocurrido: ¿ha sido un error de planificación? Es decir, ¿has ambicionado demasiado o es un error de ejecución y debería haberte dado tiempo? Bueno, ahora ya lo sabes para la próxima clase.

PROBLEMA

Has terminado lo que tenías preparado y aún te quedan diez minutos.

POSIBLE SOLUCIÓN

Rélajate, no es un gran problema. Igual que en la situación anterior, después de la clase analiza el porqué. Quizás la próxima vez que des esa clase deberías incluir algo más. Pero ahora ya no hay remedio, así que lo mejor que puedes hacer es alguna de las actividades sugeridas en el tercer problema que hemos planteado.

PROBLEMA

Cuestiones técnicas:
- El vídeo o el magnetofón no funcionan.
- Te has equivocado de cinta o no encuentras la que quieres poner.
- La fotocopiadora no funciona o te has dejado las fotocopias en casa.

POSIBLE SOLUCIÓN

Lo primero y la mejor forma de evitar todo esto es (siempre que sea posible) ser el primero en llegar a clase y comprobar que todo funciona, revisar el material y dejarlo todo preparado. Si aun así algo se estropea, no te preocupes, nunca es tan grave como nos parece en ese momento. No ocurre nada si los alumnos pasan un día más de sus vidas sin trabajar ese "maravilloso texto" o la "interesantísima grabación" que teníamos preparada. Seguro que lo podemos hacer mañana. De todas formas, intenta solucionar el problema. Siempre hay algún alumno que puede ayudarte; al fin y al cabo, la clase es de todos. No permitas que se cree tensión, discúlpate y tómatelo con sentido del humor.

PROBLEMA

Descubres que lo que estás haciendo no les gusta o no te gusta a ti.

POSIBLE SOLUCIÓN

No lo fuerces, cámbialo, pregúntales por qué y, sobre todo, no les eches la culpa. No te empieces a poner de mal humor y a perder la paciencia. No pasa nada, se cambia y se acabó.

PROBLEMA

Los alumnos no entienden el porqué de lo que están haciendo y empiezan a perder el interés.

POSIBLE SOLUCIÓN

Explícaselo. A veces, con la nueva metodología, no es tan fácil ver lo que nosotros tenemos claro. No es necesario darles grandes explicaciones lingüísticas o metodológicas para mostrarles el objetivo del ejercicio o de la actividad.

CAPÍTULO
12.

CONTINUAR EL APRENDIZAJE FUERA DEL AULA

1. ¿Qué sabemos nosotros sobre cómo aprenden nuestros alumnos? Por ejemplo:
¿Cómo clasifican las notas?
¿Cómo memorizan el vocabulario?
¿Cómo aprenden a utilizar los tiempos verbales?

2. ¿Qué hacemos para ayudar a nuestros alumnos a aprender en casa?

3. ¿Qué material para aprender español conocen aparte del que se trabaja en clase?

4. ¿Qué contactos tienen los alumnos con el idioma o la cultura española fuera del aula?

5. ¿Con qué frecuencia utilizan diccionarios, gramáticas o libros de consulta?

6. ¿Qué tipos de tareas podemos sugerir para que los alumnos realicen en casa?

7. ¿Cuándo y cómo corregimos los deberes?

A lo largo del libro nos hemos referido continuamente a cómo podíamos ayudar a nuestros alumnos a aprender mejor el idioma español (o al menos cómo intentarlo). Esta ayuda se centraba en los momentos en los que el profesor/a estaba presente, es decir, cuando trabajaban juntos en el aula.

Este último capítulo está dedicado a lo que los alumnos pueden hacer solos para aprender fuera de clase. Se trata de transformar los tradicionales deberes (la misma palabra ya resulta una imposición) en algo motivador y, sobre todo, que ayude de verdad.

Lo primero que nos debe preocupar es qué hacen los alumnos con lo que trabajamos en clase. Nos ocuparemos entonces de:

LA CLASIFICACIÓN

Cómo toman las notas y qué hacen luego con ellas. Cuando hablábamos de la pizarra ya comentábamos la importancia que tiene que el profesor/a haga una exposición clara si quiere que los alumnos lo copien bien para, seguidamente, estudiarlo en casa. Pero quizás esto no es suficiente.

A continuación damos una serie de sugerencias para mejorar la clasificación:

- Utilizar colores, esquemas y dibujos en sus apuntes.
- Tener un archivador en casa donde todos los días pasan sus notas a limpio y las clasifican. Un posible orden sería:
gramática // vocabulario // funciones // pronunciación // textos.

Ya tienen los apuntes clasificados. El hecho de haberlo pasado a limpio supone que lo han vuelto a leer y con seguridad es en ese momento cuando se dan cuenta de algo que no han entendido bien. Ahora se trata de cómo aprenderlo.

FORMA DE APRENDER

El profesor/a da ideas sobre cómo estudiar, pero muchas veces son los mismos alumnos los que mejor saben cómo aprenden ellos. Si fomentamos discusiones en clase en las que se hable de este tema, les brindamos la oportunidad para que se intercambien sus experiencias y recursos. Nosotros podemos, por supuesto, aportar nuestros conocimientos e ideas. De estas discusiones extraemos algunas de las ideas que aportaron:

- Aprender vocabulario con tarjetas donde por un lado aparece:

la definición
o la traducción
o un dibujo.

Y por el otro lado, la palabra o la frase que quieren aprender.

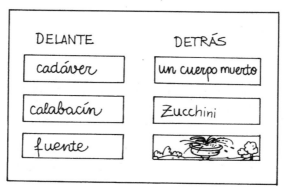

DELANTE	DETRÁS
cadáver	un cuerpo muerto
calabacín	Zucchini
fuente	

- Llevar estas tarjetas en los bolsillos. Mientras pasean o van en el autobús, siguen aprendiendo. Al principio están todas las tarjetas en el bolsillo izquierdo; se coge una y se intenta dar la respuesta; si ésta es acertada pasa al bolsillo derecho, si no, otra vez al izquierdo, y así sucesivamente hasta que se tengan todas las tarjetas en el bolsillo derecho.

- Usar un casete en casa donde los alumnos se graban a ellos mismos leyendo textos en voz alta o improvisando un monólogo. Esta cinta la puede escuchar el profesor/a y así comentar su progreso e indicarles lo que tienen que seguir trabajando.

- Cuando se trata de vocabulario, una buena idea (sobre todo si uno vive en casa solo) es pegar tarjetas con la palabra (ej.: *tocadiscos*) o palabras (ej.: *encender el tocadiscos, poner un disco, ponlo más alto, por favor...*) en español sobre o cerca de los objetos.

Hay que tener en cuenta que no todos los alumnos necesitan el mismo refuerzo, por lo que los trabajos para casa no tienen por qué ser para todos igual. Se les pueden asignar de forma individual para aquello que necesita cada uno.

Ej.:   ejercicios de pronunciación
        apoyo gramatical
        ejercicios escritos
        lecturas controladas

También sería bueno que el profesor/a les informara o proporcionara material complementario que los alumnos puedan fácilmente conseguir y utilizar solos y que sirva de apoyo individual para lo que necesita cada uno. Algunos ejemplos serían:

• Libros. Hay en el mercado una serie de lecturas graduadas con un lenguaje actual y unos argumentos muy entretenidos. O textos literarios auténticos elegidos en función del nivel que tengan los alumnos.
Otro tipo de libros son los escritos en dos lenguas: la del alumno y la española. La página de la izquierda está dedicada a una lengua y la de la derecha a otra con el mismo contenido.
• "Comics". Tienen la ventaja de que hay dibujos y que el nivel del idioma es sencillo, ya que constan siempre de frases muy cortas. Existen los tradicionales tebeos españoles, como Mortadelo y Filemón, y también las tiras de Quino, por ejemplo, Mafalda y, por supuesto, otras publicaciones traducidas al español como Tintín, Astérix....
• Periódicos.
• Revistas.
• Folletos informativos.
• Canciones.
• Vídeos.
• Programas de radio o televisión.

Otra manera de ayudarlos es:
- Poniéndolos en contacto con otras personas con las que se puedan escribir.
- Fomentando intercambios y grupos de conversación.

Y no olvidemos la gran ayuda que suponen las gramáticas y los diccionarios, y el hecho de que muchos alumnos no saben cómo utilizarlos bien. Si hacemos actividades en las que este material sea usado en clase, los alumnos se familiarizarán enseguida.

Pero volvamos a hablar de los deberes. Muchos de los trabajos para casa pueden encargarse en forma de PROYECTOS que los alumnos prepararán fuera del horario de clase. Los proyectos pueden ser realizados tanto de forma individual como en grupos. Algunas ideas para estos proyectos:

- Preparar charlas con diapositivas sobre algún tema que les interese.
- Organizar una excursión o una salida nocturna.
- Una exposición de fotografías. Si alguno de los alumnos ha realizado un viaje por un país de habla hispana, puede explicarlo al resto del grupo.
- Un fiesta de "tinte hispano".

- Un mini-concierto, si alguno de los alumnos toca algún instrumento o canta.
- Una salida al teatro o al cine si tenemos la oportunidad de contar con esta posibilidad.
Cada alumno se encarga de un asunto diferente:

• Conseguir información sobre el autor, la época, la obra...
• Hacer un pequeño glosario de palabras clave que puedan aparecer en la obra.
• Organizar la compra de las entradas, el encuentro y alguna actividad posterior.

El profesor/a, por su parte, se encarga de trabajar la obra en clase, dando alguna explicación o preparando un resumen del argumento.

Puede parecer que algunos de estos proyectos no tienen ninguna relación con el aprendizaje del español. Nosotros creemos que el mantener contacto con la cultura, el buscar información en textos escritos en español y el juntarse con los compañeros de clase para hacer algo en común favorece en gran manera la motivación y, por lo tanto, el aprendizaje de la lengua.

Uno de los grandes problemas que se nos presenta a la hora de asignar trabajos para casa es el hecho de tener que corregirlos después. Hay dos posibilidades:

1. Que nosotros corrijamos los deberes en casa. El problema de esta opción es el tiempo. Son muchos los cursos y los alumnos que tenemos y con la preparación de las clases tenemos bastante.

Además, la mayoría de las veces, al entregar los ejercicios, ni el profesor/a ni los alumnos saben qué hacer con ellos. Los miran un minuto y ya está. Entonces el profesor/a se pregunta si tanto esfuerzo ha servido para algo, si ha sabido explotar bien estos trabajos.

2. Que se corrijan en clase todos juntos. Aquí el problema reside en que nos encontramos frecuentemente con que muchos alumnos no los han hecho, por lo que supone una pérdida de tiempo para ellos y un ejercicio monótono para los que sí han trabajado.

En general, se deben buscar tareas que sean fáciles de corregir, si éstas son diseñadas por el mismo profesor/a. Si no, en la mayoría de los libros de texto existe un libro de trabajo con las soluciones incluidas. Si se decide corregirlos en casa porque los ejercicios tienen múltiples soluciones o son versiones libres, al entregarlos, el profesor/a dedicará un tiempo a comentar los errores con los alumnos. Se les puede preparar una actividad en la que estén trabajando en grupos mientras el profesor/a va uno por uno entregando la tarea y comentando el resultado. Muchos de los errores que comete un alumno son interesantes para el resto del grupo. Podemos aprovecharlos para trabajar sobre ellos, escribiendo una serie de textos que contengan los errores cometidos. Este ejercicio se puede realizar en la pizarra o repartiendo una fotocopia. Les diremos a nuestros alumnos cuántos errores hay en cada frase y ellos tendrán que corregirlos en parejas.

Ej.:   *Eran muchas gentes y yo estaba demasiado embarazada para presentarme.(3)*
         La mayoría de las personas en Etiopía están pobres y no tienen por comer. (1)
         No he nunca visto una película tanto bonita. (2)

Nos podemos evitar problemas posteriores si hacemos un cambio de planteamiento. No pensemos en "cómo" corregir las tareas, sino en "qué tipo" de tareas asignamos. Vamos a poner algunos ejemplos:

TAREAS SOBRE PRONUNCIACIÓN

El problema con los ejercicios de pronunciación es que no todos los alumnos tienen las mismas necesidades, por lo que son ideales para efectuarlos de forma individual en casa. A cada alumno le sugerimos lo que tiene que trabajar. Ej.: Un sonido como la **r** o la **ll** o un problema de entonación. El profesor/a simplemente comprobará de una forma regular cómo va el progreso. Se graban en casa o en un magnetofón del centro donde se imparten las clases y nosotros lo escuchamos cuando ellos nos lo pidan y mientras los demás alumnos estén realizando otra actividad.

TAREAS SOBRE VOCABULARIO

Darles ejercicios para casa del tipo "rellenar espacios", "relacionar" o crucigramas, en los que los alumnos repasan lo que se ha visto en clase.
Ej.: Si lo que hemos trabajado es vocabulario relacionado con los espectáculos y hemos visto las palabras y frases: entrada, reservar, asiento, hacer cola, cartelera, obra de teatro, película, ¿qué ponen?, v.o. (versión original), ¿está ocupado?, etc., éstas serían posibles tareas:

Completar el siguiente diálogo:

A: *¿Está Eugenia?*
B: *Sí, soy yo.*
A: *Hola, soy Pancho, ¿qué tal va esa vida?*
B: *Bien, bien. Y tú, ¿qué tal en Bilbao?*
A: *Ah, de maravilla. Oye, mañana vamos al teatro. ¿Te apetece venir con nosotros?*
B: *¿Qué ....vais a ver?*
A: *Se llama "La Casa de Bernarda Alba".*
B: *¡Ah! la conozco. Sí, es genial y, ¿dónde la ....?*
A: *En el teatro Lope de Vega, cerca de la calle Mayor.*
B: *Vale, pero habrá que .... antes. Si quieres yo puedo llamar por teléfono. No me gusta nada .... y los domingos está siempre lleno. ¿Cuántas .... necesitamos?*
A: *Contigo, somos cinco. Por cierto, también he visto en la .... que .... la .... de "Blade Runner" en ...., o sea, en inglés. No me la quiero perder.*
B: *Vale, mañana hablamos sobre eso, ahora tengo un poco de prisa, que llego tarde al trabajo. Hasta mañana.*
A: *Adiós, hasta mañana.*

Relacionar las palabras de la derecha con los dibujos de la izquierda:

1.   A. Entrada

2.   B. Asiento

3.   C. Hacer cola

4.   D. Cartelera

5.   E. ¿Está ocupado?

Un crucigrama:

Horizontales:

1. Papel que se compra para entrar al teatro, cine...
2. Pedir las entradas por teléfono.
3. Muchas personas que esperan para entrar al cine.

Verticales:

1. Sección del periódico donde están los cines y teatros.
2. Sillón en un teatro o cine...
3. "Blade Runner", "E.T.", "Casablanca"...

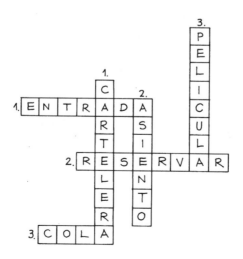

TAREAS SOBRE GRAMÁTICA

Este tipo de tareas son las que con más frecuencia aparecen en los libros de trabajo o en el mismo libro de curso. Muchas veces también vienen las soluciones. En lugar de realizar las tareas en clase, pueden servir de trabajo para casa y, de esta forma, aprovechar el tiempo para algo más dinámico. De nuevo, mientras los alumnos llevan a cabo alguna actividad, se les pregunta si han tenido problemas o si quieren hacer algún comentario sobre las tareas, y se les va contestando de forma individual o, si vemos que el problema es general, todos juntos.

Si los alumnos hacen alguna tarea más creativa que sea difícil de corregir para el profesor/a, entonces la pueden corregir ellos mismos al día siguiente en clase. Se efectuaría de esta manera: se sientan en parejas y se intercambian las tareas con otra pareja. Durante un tiempo intentan corregir, con la ayuda indirecta del profesor/a si es necesario y con todo el material que quieran utilizar (apuntes, gramáticas, libro de texto, diccionario...). Cuando ya esté todo corregido, entonces se juntan y se explican el porqué de sus errores.

Al hablar de tareas creativas nos referimos a tipos de ejercicios como los siguientes ejemplos:

1. Completar un texto con las frases que incluyan los tiempos gramaticales que se han estado trabajando.
Ej.:

> *Querida Sybille:*
> *Ya llevo tres semanas en España y estoy contentísimo. El viaje no fue muy bueno porque...*
> *La familia es muy simpática. Ayer fui con ellos a la montaña y.................................*
> *..*
> *La escuela de español también me gusta mucho, la primera semana.........................*
> *..*
> *pero ahora me siento como en casa. El tiempo es excelente, excepto el fin de semana pasado que..*
> *Escríbeme pronto y en español, ¡como prometimos! Yo ya lo hago mejor, ¿verdad?*
> *Un beso muy muy fuerte (como dicen aquí),*
>
> *Erich*

2. Escribir un diálogo en el que aparezcan las siguientes estructuras gramaticales y en el mismo orden:

no, no es lo mío
tengo que
¿acabas de ...?

hace dos años
todavía no
ninguno
le gusta
el mejor

TAREAS DE COMPRENSIÓN ESCRITA

Ya que la interpretación de un texto es un proceso individual, podemos aprovecharlo para que se convierta en uno de "los deberes". No dejaremos, siempre que se pueda, de asignar una tarea que ayude a la comprensión del texto. (Véase cap. 8.)
A veces es mejor que los alumnos lean, o bien textos diferentes o bien partes de un mismo texto. El saber que sus compañeros dependen de su texto los hace más responsables y les "obliga" a leerlo.

TAREAS DE EXPRESIÓN ESCRITA

En clase vamos a realizar actividades en las que los alumnos trabajen en grupos la expresión escrita. Otras veces, sin embargo, nos interesará que este trabajo sea individual, por lo que lo pueden llevar a cabo en casa. (Véase tareas cap. 9.) Cuando lo que escriben es personal, no tiene sentido hacerlo en grupos.

TAREAS DE EXPRESIÓN ORAL

Si por falta de tiempo, timidez de los alumnos u otros motivos, los alumnos no realizan pequeñas charlas o exposiciones, siempre queda el recurso de que lo graben en una cinta y nosotros escucharlo en casa.

OTRAS TAREAS

- Los alumnos efectúan cuestionarios a conocidos o bien por la calle.
Ej.:   ¿A qué hora se levanta usted?
         ¿Qué suele desayunar?
         ¿Cuántas veces al mes va al cine?
         etc.

- Los alumnos tienen que recopilar información sobre un tema actual.
Ej.: Algo que aparezca en las noticias: unas elecciones, un suceso, etc.

- Los alumnos preparan en casa una pequeña representación.
Puede ir desde contar un chiste o una leyenda de su país a preparar un anuncio o una noticia del telediario.

- Los alumnos van leyendo en casa un libro a cuyo comentario dedicamos una parte de nuestra clase.

- Los alumnos preparan tres preguntas sobre lo que se ha visto el último día de clase. Esto les hace, sin darse cuenta, tener que repasar ellos mismos.

Este capítulo trata de tareas para casa y todavía no hemos puesto nosotros ninguna. Es una excepción por tratarse casi del final. A continuación escribimos la última tarea del libro:

ti *Vuelve a hojear los capítulos dedicados a las destrezas lingüísticas. Escoge dos tareas sobre cada destreza que tú asignarías para trabajar en casa y explica el porqué.*

¡HASTA SIEMPRE!

No es el final del libro porque el libro no tiene final. No queremos decir adiós. Tenemos que continuar; en nuestra profesión no existen los puntos finales. Nosotros preferimos las interrogaciones, las exclamaciones y los puntos suspensivos...

Para aquellos que comenzáis, ¡adelante! El principio es muy bonito, el entusiasmo, las ganas de trabajar, el reto que se os presenta... No esperéis respuestas fáciles, no las hay. A una pregunta, la mejor respuesta son otras diez preguntas.

Mucha suerte.

Para aquellos que seguís, ¡ánimo! lleváis mucho camino recorrido y tenéis la gran ventaja de la experiencia: sabedlo aprovechar. Aunque también es importante que estéis abiertos y con ganas de aprender y de innovar. También mucha suerte.

Pensad ahora en el próximo libro que os gustaría leer. Escribidnos y quizás dentro de poco lo podréis adquirir. Gracias.